ABSOLUTE BEGINNERS'

BUSIN

Spanish

FERNANDO & SARAH DOVAL CLARKE

Hodder & Stoughton

A MEMBER OF THE HODDER HEADLINE GROUP

ACKNOWLEDGEMENTS

Special thanks to Hélène, Martyn and Marianne for their help and support.

British Library Cataloguing in Publication Data

Doval Clarke, Sarah
   Absolute Beginners' Business Spanish. –
   Coursebook. – (Absolute Beginners'
   Business Language Series)
   I. Title II. Doval, Fernando
   III. Series
   468

ISBN 0 340 59857 3

First published 1994
Impression number 10 9 8 7 6 5 4 3 2 1
Year   1998 1997 1996 1995 1994

Typeset by Wearset, Boldon, Tyne and Wear.
Printed in Great Britain for Hodder & Stoughton Educational, a division of Hodder Headline Plc, 338 Euston Road, London NW1 3BH by Thomson Litho Ltd, East Kilbride, Scotland.

CONTENTS

Series Editor's Introduction

WHO IS THE *ABSOLUTE BEGINNERS'* SERIES FOR?

The *Absolute Beginners'* series of business language courses has been designed to meet two major, but related, requirements. One is the need many adult learners now have for competence in a foreign language in an occupational setting. The other is the need teachers have for introductory language courses aimed at the true beginner.

The objectives of the series are, therefore, to provide a thorough grounding in the basics of the language, while concentrating on the situations and vocabulary needs of someone working in a foreign business environment. As such, the *Absolute Beginners' Business Language* series will be of value in higher education, particularly in institution-wide language programmes, as well as in further and adult education. Members of the business community will find the series a useful introduction to other courses with a more pronounced business focus; teachers in secondary education may also wish to consider the series as an alternative to general language courses at post-16 level.

WHAT DOES THE SERIES COVER?

Each book in the *Absolute Beginners'* series follows the experiences of a student from the UK taking up a work placement in a foreign company. In the course of the first working day, the student is introduced to new colleagues, and gradually gets to know the office, the department and the working routine of the company. Other situations covered include making appointments, escorting visitors, showing someone round the company, telephoning and sending a fax, ordering supplies, making travel arrangements, visiting the canteen and socialising with colleagues. By the end of the course, students will have a thorough grounding in the basics of the language, in terms of grammar and a range of standard work vocabulary, as well as active practice in using the language in context via exercises designed particularly to develop listening comprehension and speaking skills.

HOW IS THE COURSE STRUCTURED?

Each book in the series consists of six chapters, each based on four short dialogues illustrating a typical working situation and introducing and/or reinforcing a key language point. The exercises following the dialogues provide a range of varied activities which develop receptive skills, including listening comprehension, and establish the basis for active speaking practice in the form of pairwork, role-plays and dialogue chains. Grammar points have been fully integrated into the text; as new grammar is introduced in the dialogues, brief explanations are given, followed by exercises offering further practice of the point concerned. Each chapter finishes with a detailed checklist of the language and communication skills covered. At the back of the book there is a comprehensive glossary with English equivalents.

The *Absolute Beginners'* series provides extensive opportunities for listening to and using the spoken language. All the dialogues and many of the exercises have been recorded on two C60 cassettes, available together with a Support Book containing the cassette transcripts and key to exercises.

RECOMMENDED COURSE LENGTH, ENTRY AND EXIT LEVELS

It is obviously difficult to specify precisely how much time it would take to complete a course in the *Absolute Beginners'* series, as individual classroom circumstances can vary so widely. Taken at a steady pace, the course can be completed in one 15-week semester, assuming a minimum of two hours' class contact per week and regular directed study. For many teaching colleagues, this could be an attractive option, but there would be very little time to incorporate other materials or activities. More conventionally, the course can be completed comfortably within an academic year, again assuming a minimum of two hours' class contact per week and regular directed study. On this basis, teachers would find that they had some time to devote to extending the range of language and situations covered and thus give the course an additional business or general focus.

As the series title indicates, the course is designed for learners with no prior knowledge of the language and it proceeds at their pace. The range of language, situations and grammar is deliberately modest, but this range is covered very thoroughly in order to lay sound foundations for subsequent language learning. The course has not been designed with the needs of any particular examinations syllabus in mind; rather, in writing the coursebooks in the series, authors have been guided by NVQ Level 1 standards for language competence at work, as defined by the Languages Lead Body.

THE *ABSOLUTE BEGINNERS'* SERIES AND THE *HOTEL EUROPA* SERIES

The *Absolute Beginners'* series acknowledges the debt it owes to the *Hotel Europa* series. Though a free-standing course in its own right, *Absolute Beginners'* utilises some of the same characters and settings from *Hotel Europa*; for example, the student is placed in the company which is the customer for the hotel's conference and accommodation facilities in *Hotel Europa*. Similarly, the approach in *Absolute Beginners'* mirrors that in *Hotel Europa* by basing the series on realistic working situations, accessible to teacher and learner alike, whatever their business background. Teachers using *Absolute Beginners'* and looking for a course to help their students to progress will find that *Absolute Beginners'* provides an excellent introduction to *Hotel Europa* and that the transition will be smooth.

ACKNOWLEDGEMENTS

On behalf of all the authors involved with the *Absolute Beginners'* series I should like to acknowledge the invaluable contribution of Tim Gregson-Williams and his team at Hodder & Stoughton to realising the concept for this series, and to thank the many colleagues and course participants – sadly too numerous to mention here – who have provided us with feedback and suggestions. We have very much appreciated their views and thank them all for their assistance.

Marianne Howarth
Department of Modern Languages
The Nottingham Trent University

CAPÍTULO UNO

Llegada a la oficina
ARRIVAL AT THE OFFICE

> **In this chapter you will learn how to:**
> - greet people
> - introduce yourself
> - introduce people
> - ask simple questions
> - give simple information

DIÁLOGO 1 *Buenos días, Bárbara*

El lunes por la mañana: Carmen Bravo, la secretaria de José Manuel Galán, y Bárbara Salgado, la secretaria de Blanca Maté, llegan a la oficina.

Monday morning: Carmen Bravo, José Manuel Galán's secretary, and Bárbara Salgado, secretary to Blanca Maté, arrive at the office.

Escuche y repita/*Listen and repeat:*

buenos días	*good morning*
¿cómo estás?	*how are you?*
hola	*hello*
muy bien	*very well*
gracias	*thank you*
¿y tú?	*and you? (informal)*
¿qué tal?	*how are you/how was . . . ?*
el fin de semana	*the weekend*
¡estupendo!	*fantastic!*
¿llega hoy el nuevo aprendiz?	*does the new trainee arrive today?*
¿es italiano?	*he is Italian/is he Italian?*

Escuche el diálogo/*Listen to the dialogue:*

CARMEN BRAVO:	Buenos días, Bárbara. ¿Cómo estás?
BÁRBARA SALGADO:	Hola. Muy bien, gracias. ¿Y tú?
CARMEN BRAVO:	Muy bien.
BÁRBARA SALGADO:	¿Qué tal el fin de semana?
CARMEN BRAVO:	¡Estupendo! ¿Llega hoy el nuevo aprendiz?
BÁRBARA SALGADO:	Sí.
CARMEN BRAVO:	¿Es italiano?
BÁRBARA SALGADO:	No, es inglés.

EJERCICIO 1.1

Listen to the dialogue on the cassette and put a number in the boxes below to show the order in which you hear the phrases. The first one has been done for you.

Bien gracias. ¿Y tú? ☐

Buenos días Ricardo. ☐1

¿Qué tal el fin de semana? ☐

¿Cómo estás? ☐

Muy bien. ☐

Hola Juan. ☐

Bien gracias. ☐

EJERCICIO 1.2

Listen to the recording of someone greeting you and respond according to the whispered prompt.

Ejemplo   Escuche: Buenos días. *(Say good morning)*
              Responda: Buenos días.

1 Buenos días.

2 ¿Cómo estás?

3 ¿Qué tal el fin de semana?

4 ¿Llega hoy el nuevo director?

EJERCICIO 1.3

Select from the phrases in the box below to form the following sentences in Spanish.

Ejemplo   Hola Carmen. ¿Cómo estás?

1 Hello Carmen. How are you?

2 Good morning, Bárbara.

3 I'm very well, thanks. And you?

4 How was the weekend?

5 Fantastic. And you?

Y tú   Estupendo   Hola   Qué tal   Y tú   Buenos días   El fin de semana
Cómo estás   Muy bien   Gracias   Carmen   Bárbara

EJERCICIO 1.4

a Listen to the cassette and practise pronouncing the following nationalities:

español	*Spanish*	portugués	*Portuguese*
alemán	*German*	inglés	*English*
holandés	*Dutch*	japonés	*Japanese*
italiano	*Italian*		
irlandés	*Irish*		

b Now listen to the second part of the exercise and match the names with the countries on the map overleaf.

1 César

2 El aprendiz

3 Albert

4 Max

5 Roberto

6 El director

Asking questions

The easiest way of asking a question is to raise the voice at the end of a sentence:

¿llega hoy el nuevo aprendiz?

 EJERCICIO 1.5

Listen to the example on the cassette to hear the difference between a question and a statement. Decide whether the following sentences are questions or statements and tick the appropriate column.

Ejemplo   Statement: David es inglés.
              Question: ¿David es inglés?

	Statement	Question
1 Carmen es la secretaria.		
2 Carmen llega a la oficina.		
3 El director es Japonés.		
4 Bárbara llega a la oficina.		
5 El nuevo aprendiz es alemán.		

Listen to the sentences again. Repeat each sentence in the pause, paying attention to the intonation.

EJERCICIO 1.6

Rearrange the words and punctuation in each box and form a question.

inglés	?	el director	¿
es	la secretaria	¿	el aprendiz
?	Carmen	hoy	?
el aprendiz	¿	?	David Hawkins
¿	es	llega	es

DIÁLOGO 2   *Soy David Hawkins*

David Hawkins, el nuevo aprendiz, llega a las oficinas de Clarasol y se
presenta.

*David Hawkins, the new trainee, arrives at the offices of Clarasol and introduces
himself.*

Escuche y repita:

adelante	*come in*
soy David Hawkins	*I'm David Hawkins*
encantada	*pleased to meet you*
¿no?	*aren't you?*
¿llego tarde?	*am I late?*
¡qué va, en absoluto!	*no, not at all*
¿es usted de Londres?	*are you from London?*
soy de Exeter	*I'm from Exeter*

Escuche el diálogo:

CARMEN BRAVO:	Adelante.
DAVID HAWKINS:	Buenos días, señorita, yo soy David Hawkins.
CARMEN BRAVO:	Encantada. Soy Carmen Bravo, la secretaria del señor Galán.
DAVID HAWKINS:	Encantado.
CARMEN BRAVO:	Usted es el nuevo aprendiz. ¿No?
DAVID HAWKINS:	Sí.
BÁRBARA SALGADO:	Hola, yo soy Bárbara Salgado.
DAVID HAWKINS:	Encantado, señora. ¿Llego tarde?
BÁRBARA SALGADO:	¡Qué va, en absoluto! ¿Es usted de Londres?
DAVID HAWKINS:	No, soy de Exeter.

NOTAS

¿No? is the equivalent of English phrases such as 'doesn't it', 'isn't he,' etc.

When greeting people formally, it is considered polite to use the appropriate title: *señora, señorita* or *señor,* e.g. *buenos días, señora; encantado, señorita.* In writing, these titles may be abbreviated to *Sra., Srta.* and *Sr.* respectively.

Encantado is used when the speaker is a man. *Encantada* is used when the speaker is a woman.

EJERCICIO 2.1

Introductions. Listen to the three examples of people introducing themselves on the cassette. Then practise introducing yourself to the other people in your class.

EJERCICIO 2.2

Use the names below to introduce yourself to the people on the cassette.

Ejemplo   Escuche: Buenos días. Soy Enrique Ortega.
Responda: Encantado. Soy Alberto Cortina.

EJERCICIO 2.3

Origins. Use the information in the pictures below to answer the questions on the cassette.

Ejemplo   Escuche: ¿La Sra. María Luisa Loureiro es de Valencia?
Responda: No, no es de Valencia. Es de Orense.

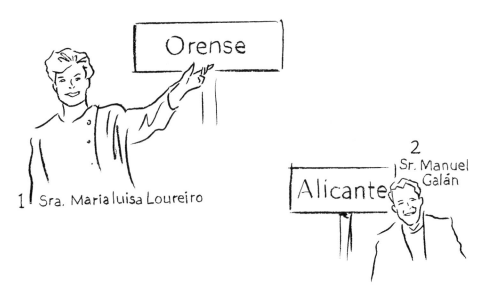

GRAMÁTICA

Ser – to be

Here are the forms of *ser* in the present tense:

Singular		Plural	
(yo) soy	*I am*	(nosotros) somos	*we are*
(tú) eres	*you are*	(vosotros) sois	*you are*
(él, ella; usted) es	*he, she is; you are*	(ellos, ellas; ustedes) son	*they are; you are*

NOTAS

There are four words in Spanish for 'you'. Two in the singular: *tú* and *usted*, and two in the plural: *vosotros* and *ustedes*. *Tú* and *vosotros* are used when addressing a person or persons informally. *Usted* and *ustedes* are used when addressing a person or persons more formally.

In Spanish it is not necessary to use the subject pronouns (*yo, tú, usted, él, ella* etc.) because that information is implicit in the verb ending. E.g. *yo soy* and *soy* both mean 'I am'.

EJERCICIO 2.4

Put the correct form of the verb *ser* into the gaps in the sentences below.

1 María Elena *es* de Perú.

2 Juan .... recepcionista.

3 Fernando Montilla y Juan García Rubio .... directores.

4 Ana y yo .... estudiantes.

5 Usted .... el nuevo aprendiz.

6 Yo .... alemán.

EJERCICIO 2.5

Listen to the cassette and match the people in the drawings to their jobs.

1 aprendices

2 estudiante

3 profesora

4 secretarias

5 directores

a. *Bárbara y Carmen* ☐

b. *Jorge y Elena* ☐

c. *Juana Vázquez* ☐

d. *Raquel, Concha y Ramón* ☐

e. *Arturo* ☐

GRAMÁTICA

Nombres y géneros – nouns and gender

In Spanish, nouns are either masculine or feminine: e.g. *escritorio* (masculine) 'desk', *oficina* (feminine) 'office'. Some nouns which relate to people have a masculine and a feminine form: e.g. *amigo* 'a male friend', *amiga* 'a female friend', *jefe* 'a male boss', *jefa* 'a female boss', *profesor* 'a male teacher', *profesora* 'a female teacher'. Nouns that end in *o* are usually masculine and those that end in *a* are usually feminine.

EJERCICIO 2.6

Tick whether the nouns listed below are masculine or feminine (you may need to use the glossary).

	Masculine	Feminine
abogado*		
semana		
secretaria*		
director*		
teléfono		
fotocopiadora		

The nouns which have an asterisk relate to people and therefore have a masculine and a feminine form. Change them to their alternative forms using the examples in the grammar above.

EJERCICIO 2.7

How would you say the following in Spanish?

1 David Hawkins is the new trainee.

2 He is English.

3 Carmen is the secretary.

4 Are you from London, Mr Hawkins?

5 Bárbara is from Valencia.

6 Carmen is from Madrid.

DIÁLOGO 3   *Éste es Juan Moya*

Carmen presenta a David Hawkins a un compañero de trabajo.

Carmen introduces David Hawkins to a member of staff.

Escuche y repita:

¡qué interesante!	*how interesting!*
tengo	*I have*
trabaja para un bufete inglés	*he works for an English law firm*
éste es	*this is*

Escuche el diálogo:

CARMEN BRAVO: Usted es inglés ¿no?
DAVID HAWKINS: Sí, soy de Exeter.
CARMEN BRAVO: ¿De Exeter? ¡Qué interesante! Yo tengo un amigo en Exeter.
DAVID HAWKINS: ¿Él es estudiante?
CARMEN BRAVO: No, es abogado. Trabaja para un bufete inglés. Ah, éste es Juan Moya. Juan, éste es David Hawkins, el nuevo aprendiz. Es inglés.
DAVID HAWKINS: Encantado.
JUAN MOYA: Buenos días, David. Soy el recepcionista.

EJERCICIO 3.1

Listen to the cassette and answer the questions according to the whispered prompts.

Ejemplo   Escuche: Usted es Japonés, ¿no? (*holandés*)
Responda: No. Soy holandés.

1 Usted es Japonés, ¿no?

2 ¿El amigo de Carmen es profesor?

3 ¿Mercedes es recepcionista?

4 David es de Cardiff, ¿no?

5 ¿Éste es Juan Moya?

6 ¿La amiga de Bárbara es de Murcia?

EJERCICIO 3.2

Work in pairs. Introduce the people on your list to each other.

Ejemplo   Partner A: Éste es Roberto, es italiano. Él es estudiante.
Partner B: Éste es Julio, es español. Es aprendiz.

Partner A

Roberto	Italian	student
Fergus	Irish	teacher
Walter	German	receptionist

Partner B

Julio	Spanish	trainee
Marcus	Dutch	lawyer
Jonathan	English	director

EJERCICIO 3.3

You are welcoming Mrs García to your department and introducing her to your colleagues. Listen to the cassette and use the prompts to complete the conversation.

Hola, buenos días. Yo soy Isabel García.

Say good morning, introduce yourself and explain that you are the recepionist.

Encantada.

Say you are pleased to meet her and ask her to come in.

Gracias.

Introduce Juan Vilas. Explain that he is a lawyer.

GRAMÁTICA *El, la* – the

El and *la* are definite articles like 'the' in English. *El* is used with masculine nouns: e.g. *el viaje* 'the journey'. *La* is used with feminine nouns: e.g. *la semana* 'the week'. The subject pronoun *él* (he) has an accent to distinguish it from the article *el*.

EJERCICIO 3.4

Fill in the gaps below with either *el* or *la*.

1 José es *el* ingeniero.

2 María es .... directora.

3 Alfredo es .... aprendiz.

4 Clarasol es ……… compañía.

5 ……… abogado de Clarasol es inglés.

6 ……… profesora es de Murcia.

GRAMÁTICA

Un, una – a, an

Un and *una* are indefinite articles like 'a' and 'an' in English. *Un* is used with masculine nouns: e.g. *un viaje* 'a journey' or 'one journey'. *Una* is used with feminine nouns: e.g. *una semana* 'a week' or 'one week'.

EJERCICIO 3.5

Write *un* or *una* in front of the following nouns (you may need to use the glossary).

…… trabajador   …… contrato
…… ordenador   …… amigo
…… recepcionista   …… oficina
…… director   …… escritorio
…… fotocopiadora   …… secretaria

GRAMÁTICA

Tener – to have

Singular		Plural	
(yo) tengo	*I have*	(nosotros) tenemos	*we have*
(tú) tienes	*you have*	(vosotros) tenéis	*you have*
(él, ella) tiene	*he, she has*	(ellos, ellas) tienen	*they have*
usted tiene	*you have*	(ustedes) tienen	*you have*

NOTAS

Tener is used when giving people's ages.

Tengo veinte años   *I'm twenty*

EJERCICIO 3.6

Listen to the following sentences on the cassette and fill in the missing forms of *tener*.

1 ¿Usted ……… un amigo en Sevilla?

2 Vosotros ……… un nuevo contrato.

3 Luisa y yo ……… un profesor en Santander.

4 David Roberts ……… una amiga en Granada.

5 Carmen y Bárbara ……… un amigo en Málaga.

6 Yo ……… una abogada en La Coruña.

DIÁLOGO 4 *Trabajamos juntos*

Bárbara y David están hablando en la oficina.

Bárbara and David are talking in the office.

Escuche y repita:

está en el sur/suroeste	*it's in the south/south-west*
entonces	*then, so*
cerca de	*near*
relativamente lejos	*quite far*
bastante grande	*fairly big*
mire	*look (formal; used to get someone's attention)*
somos cinco	*there are five of us*
parte del tiempo	*for some of the time*
utiliza este escritorio	*you use this desk*
de acuerdo	*agreed*

Escuche el diálogo:

BÁRBARA SALGADO: ¿Exeter está en el sur de Inglaterra?
DAVID HAWKINS: Si. Está en el suroeste.
BÁRBARA SALGADO: ¿Entonces, no está cerca de Londres?
DAVID HAWKINS: No. Está relativamente lejos.
BÁRBARA SALGADO: ¿Y es grande?
DAVID HAWKINS: Sí, bastante grande.
CARMEN BRAVO: Mire. Somos cinco en las oficinas de administración.

Bárbara y yo somos las secretarias; Belén Ortiz y Francisco Serrano son los administradores; y Juan Moya es el recepcionista. Usted trabaja en la oficina con nosotros parte del tiempo y utiliza este escritorio.

DAVID HAWKINS: De acuerdo. Gracias.

EJERCICIO 4.1

Look at the map of Spain. Listen to the pronunciation of the following essential vocabulary; *norte* 'north', *sur* 'south', *este* 'east', *oeste* 'west', *centro* 'centre'. Then answer the questions asked by the speaker on the cassette as in the example below.

Ejemplo   Escuche: ¿Madrid está en el norte de España?
            Responda: No. Madrid está en el centro de España.

EJERCICIO 4.2

Listen to Francisco González introduce himself and continue the conversation using the written prompts.

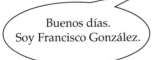

Buenos días.
Soy Francisco González.

Introduce yourself and ask Sr. González if he is Spanish.

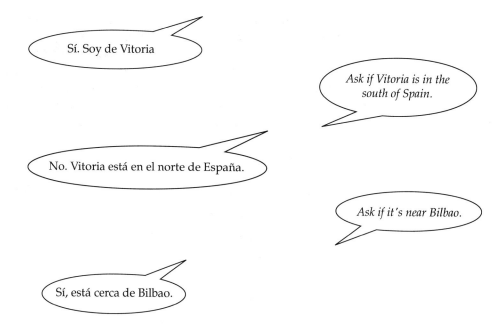

Sí. Soy de Vitoria

Ask if Vitoria is in the south of Spain.

No. Vitoria está en el norte de España.

Ask if it's near Bilbao.

Sí, está cerca de Bilbao.

EJERCICIO 4.3

Listen to the pronunciation of the following; *Inglaterra, Escocia, País de Gales, Edimburgo, Glasgow, Cardiff.* Listen to the cassette and answer the questions choosing from the answers below.

Ejemplo   Escuche: ¿Cardiff está en Inglaterra?
              Responda: No. Está en el País de Gales.

a No. Está en Escocia.

b No. Está lejos de Londres.

c Sí, está relativamente cerca de Glasgow.

d Sí, está en Escocia.

e No. Está en el País de Gales.

GRAMÁTICA   *Estar* – to be

You have already seen the present tense of the verb *ser* 'to be'. In Spanish there is another verb which means 'to be': *estar. Ser* is used to describe a characteristic or state which is part of the identity of a person or thing:

I am the managing director	soy el director
I am Irish	soy irlandés
the office is big	la oficina es grande

Estar is used to describe location.

Madrid is in the centre of Spain	Madrid está en el centro de España
Olga is in the office	Olga está en la oficina.
Luisa is in Berlin	Luisa está en Berlin

	Singular		**Plural**	
(yo) estoy	*I am*	(Nosotros) estamos	*we are*
(tú) estás	*you are*	(vosotros) estáis	*you are*
(él, ella) está	*he, she is*	(ellos, ellas) están	*they are*
(usted) está	*you are*	(ustedes) están	*you are*

EJERCICIO 4.4

Put in the correct form of *ser* or *estar* into the sentences below.

1 Yo ……… la recepcionista.

2 Alicante ……… lejos de Orense.

3 Usted ……… español ¿no?

4 Nosotros ……… cinco en la oficina.

5 La oficina ……… en Madrid.

6 La universidad ……… en Salamanca.

EJERCICIO 4.5

Look at the scenes below of the people visiting various cities. Using the vocabulary below, form sentences as in the example.

Juan

Maria

Miguel

Ejemplo   María está en Londres.

Ciudades: Roma   Nueva York   Londres   Pisa   París   Atenas

EJERCICIO 4.6

How would you say the following in Spanish?

1 Yolanda is a lawyer.

2 The office is in Seville.

3 The photocopier is quite far away.

4 He is the new secretary.

5 Miguel and Andrés are in New York.

6 'El Retiro' is in the centre of Madrid.

REPASO

REPASO 1

Meeting a friend. Listen to the conversation of two friends meeting and write down what the second speaker says.

A: Buenos días. ¿Cómo estás?
B: ....
A: Como siempre, muy bien. ¿Qué tal el fin de semana?
B: ....
A: Muy tranquilo.
B: ....
A: Sí, llega hoy.

REPASO 2

Look at the diagram and answer the questions below.

Ejemplo   Escuche: ¿Isabel tiene un amigo en Madrid?
Responda: Sí tiene un amigo en Madrid.

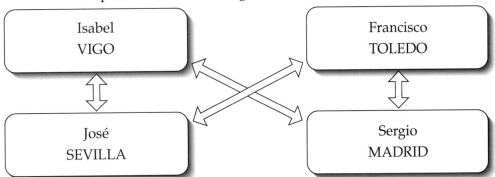

1 ¿Isabel tiene un amigo en Madrid?

2 ¿Francisco tiene una amiga en Vigo?

3 ¿José tiene un amigo en Toledo?

4 ¿Sergio tiene una amiga en Sevilla?

5 ¿Sergio tiene un amigo en Toledo?

REPASO 3

Listen to the following conversation on your cassette and then fill in the gaps. Listen to the second recording of the conversation and take the part of Blanca repeating the sentences in the pauses provided.

CÉSAR ÁLVAREZ: Buenos días, señora. Soy César Álvarez.
BLANCA MATÉ: .... Blanca Maté, la directora. ....
el nuevo aprendiz ¿.........?
CÉSAR ÁLVAREZ: Sí .... ¿Llego tarde?
BLANCA MATÉ: ¡Qué ....! .... ¿Usted .... americano?
CÉSAR ÁLVAREZ: No. .... inglés.

REPASO 4

Roleplay. You are showing a new colleague around your office. Introduce yourself and explain that you are the receptionist. Explain that altogether five people work in the office: yourself; Pilar García, the lawyer; Blanca Vázquez, the secretary; Belén González and Pedro Montilla, the directors. Show your colleague his desk and explain that he will be working with Pilar García.

REPASO 5

Read the following passage and then decide whether the statements are true (*verdadero*) or false (*falso*).

El amigo de Carmen, John Grey, trabaja para un bufete inglés. El bufete está en Exeter (una ciudad bastante grande en el sur de Inglaterra). Son cinco abogados en la oficina y una secretaria. John tiene una licenciatura de la universidad de Edimburgo pero él es galés.

	Verdadero	Falso
1 John Grey es abogado.		
2 Trabaja en Londres.		
3 John tiene una amiga en Madrid.		
4 John no tiene una licenciatura.		
5 Él es inglés.		

Pairwork. Try explaining to someone else what you know about John Grey.

Por último

Before moving on to the next chapter, make sure you know:

• How to introduce yourself and introduce other people	*soy David Hawkins/éste es Juan Moya*
• How to give and understand simple information	*usted trabaja con nosotros/Exeter está en Inglaterra*
• How to ask simple questions	*¿es usted de Londres?*
• Some nationalities and cities	*italiano/inglés/Roma/Londres*
• The two verbs which mean 'I am'	*ser and estar*
• The gender of Spanish nouns	*el amigo/la amiga*
• The articles	*el/la/un/una*
• The verb	*tener*

CAPÍTULO DOS

Conociendo el lugar
GETTING TO KNOW THE PLACE

In this chapter you will learn:
- **how to give more information about yourself**
- **how to correct information**
- **how to give and understand directions**
- **some numbers, the days of the week and the months**
- **about describing the workings of a department**
- **how to understand and make arrangements**

DIÁLOGO 1 *Perdón. Estoy equivocado*

Juan Moya, el recepcionista, resuelve un problema.

Juan Moya, the receptionist, solves a problem.

Escuche y repita:

¿qué desea?	*what would you like? (how can I help you?)*
pues	*well*
trabajo para	*I work for*
fabricamos	*we make*
de alta calidad	*high quality*
exportamos a todo el mundo	*we export worldwide*
la oficina principal	*the main office*
la mayoría	*the majority*
hablan poco español	*they speak little Spanish*
necesitamos	*we need*
para todos	*for everyone*
pero	*but*
ésta no es	*this isn't*
la sexta/cuarta planta	*the sixth/fourth floor*
perdón	*I'm sorry*
estoy equivocado	*I'm mistaken*

Escuche el diálogo:

FRANCISCO MERINO: Buenos días, señor. Soy Francisco Merino.

JUAN MOYA: Buenos días. ¿Qué desea?

FRANCISCO MERINO: Pues, trabajo para una compañia francesa. Fabricamos enchufes de alta calidad y exportamos a todo el mundo.

JUAN MOYA: Sí.

FRANCISCO MERINO: Somos diez en la oficina principal. La mayoría son franceses y hablan poco español. Necesitamos un curso práctico de español para todos.

JUAN MOYA: Eh, sí. Pero nosotros frabricamos aceite.

FRANCISCO MERINO: ¡Ah! ¿Ésta no es la escuela de idiomas?

JUAN MOYA: No. La escuela de idiomas está en la sexta planta. Ésta es la cuarta planta.

FRANCISCO MERINO: Perdón. Estoy equivocado, adiós.

JUAN MOYA: Adiós.

EJERCICIO 1.1

Put the following conversation in the right order by numbering the sentences from 1–8 in the boxes.

☐ Gracias, adiós.
☐ No. Es un bufete de abogados.
☐ Buenos días. Necesito un curso de matemáticas.
☐ Buenos días. ¿Qué desea?
☐ Pues, ésta no es una escuela.
☐ ¿No?

☐ ¡Ah! Perdón.
☐ La escuela está en la cuarta planta.

GRAMÁTICA

Éste es, ésta es – this is

Éste es is used with masculine nouns.

éste es el escritorio   *this is the desk*

Ésta es is used with feminine nouns.

ésta es la escuela de idiomas   *this is the language school*

EJERCICIO 1.2

Listen to the cassette and correct the information according to the written prompts.

Ejemplo   Escuche: ¿Ésta es la oficina del señor Galán?
          Responda: No. Ésta es la oficina principal.

1 La oficina principal.

2 Una compañía italiana.

3 Un curso prático de portugués.

4 La oficina de Clarasol.

5 El hotel Atlántico.

6 La universidad de Vigo.

EJERCICIO 1.3

Use the phrases in the box to complete the conversation. Then correct your answers by listening to the recording of it on the cassette.

– Buenos días. ¿Qué desea?
– *Explain that you are Juan Méndez and that you work for an Italian company.*
– Sí, señor.
– *The company makes car parts and they export to the USA.*
– Sí, sí.
– *Explain that most of your colleagues are Italian and they speak very little English.*
  You all need a course in practical English.

> y exportamos a los Estados Unidos
> la mayoría en la compañía son italianos
> y trabajo para una compañía italiana
> y hablan poco inglés
> soy Juan Méndez
> fabricamos piezas de automóviles
> necesitamos un curso práctico de inglés para todos

GRAMÁTICA   *Verbos* – verbs

A verb, in Spanish, is placed into one of three groups according to the ending of its infinitive. The infinitive is the basic form of the verb (some examples of infinitives in English are: 'to work', 'to be', 'to go'). The three groups of Spanish verbs are:

- infinitives that end in *–ar*.
- infinitives that end in *–er*.
- infinitives that end in *–ir*.

Trabajar – to work

Singular		Plural	
(yo) trabajo	*I work*	(nosotros) trabajamos	*we work*
(tú) trabajas	*you work*	(vosotros) trabajáis	*you work*
(él, ella) trabaja	*he, she works*	(ellos, ellas) trabajan	*they work*
(usted) trabaja	*you work*	(ustedes) trabajan	*you work*

EJERCICIO 1.4

Form sentences by choosing one item from each column and using the correct form of the verb.

nosotros	hablan	a todo el mundo
yo	trabajaís	para una compañía irlandesa
ellas	fabricamos	italiano y alemán
David Hawkins	exporta	automóviles de alta calidad
Clarasol	estudia	márketing en la universidad
vosotros	llego	a la oficina

Ejemplo   Nosotros fabricamos automóviles de alta calidad.

EJERCICIO 1.5

Reorder the sentences below to form a telephone message. Write the correct message on the form and then correct your answer by listening to the message on the cassette.

la promoción   *the promotion*
un asesor   *a consultant*
una alfombra   *a rug*

una compañía holandesa
para la promoción en los Estados Unidos
hola, buenos días
trabajo para Belex
necesitamos un asesor de márketing
soy Javier León

y exportamos a Sudamérica, los Estados Unidos y Europa
fabricamos alfombras

Recados

Hola, buenos días

GRAMÁTICA   *Números cardinales* – cardinal numbers:

1
uno

2
dos

3
tres

4
cuatro

5
cinco

6
seis

7
seite

8
ocho

9
nueve

10
diez

Listen to the cassette and repeat the numbers in the pause provided.

EJERCICIO 1.6

Look at the drawings and fill in the gaps.

1 .... escritorios.

2 .... personas.

3 .... ordenadores.

4 .... secretarios.

5 .... alfombras.

6 .... enchufes.

GRAMÁTICA   *Números ordinales* – ordinal numbers

primero	*first*	sexto	*sixth*
segundo	*second*	séptimo	*seventh*
tercero	*third*	octavo	*eighth*
cuarto	*fourth*	noveno	*ninth*
quinto	*fifth*	décimo	*tenth*

Listen to the cassette and repeat the numbers in the pause provided.

Ordinal numbers must agree in gender and number with the nouns they describe. This is why in *Diálogo 1* Juan Moya says *está en la sexta planta*. *La planta* is feminine and, therefore, *sexta* (the feminine form) must be used. Cardinal numbers do not behave like this, e.g. *dos directores*, *dos oficinas*, except for *uno* which has a feminine form *una*, e.g. *una oficina* 'one office/an office'.

  EJERCICIO 1.7

Listen to the cassette and increase the ordinal in each case by one.

Ejemplo   Escuche: La tercera oficina
Responda: La cuarta oficina

1 La tercera oficina.

2 El séptimo aprendiz.

3 La novena planta.

4 El segundo asesor.

5 El cuarto contrato.

6 La quinta fotocopiadora.

DIÁLOGO 2   *También hay una cafetería*

Blanca Maté, la jefa de compras, conoce a David Hawkins y Carmen Bravo le muestra las oficinas.

Blanca Maté, the purchasing manager, meets David Hawkins and Carmen Bravo shows him around the offices.

Escuche y repita:

bueno	*good, well*
bienvenido a España	*welcome to Spain*
hasta luego	*see you later (lit. until later)*
la otra, aquí	*the other one, here*
hay	*there is/there are*
ambas plantas	*both floors*
los servicios	*the toilets*
la planta baja	*the ground floor*

Escuche el diálogo:

BLANCA MATÉ:	Hola, buenos días. Soy Blanca Maté, la jefa de compras.
DAVID HAWKINS:	Encantado señora. Soy David Hawkins, el nuevo aprendiz.
CARMEN BRAVO:	David es inglés.
BLANCA MATÉ:	¿De Londres?
DAVID HAWKINS:	No, de Exeter.
BLANCA MATÉ:	¡Ah! Bueno, pues, bienvenido a España.
DAVID HAWKINS:	Gracias. Hasta luego.
CARMEN BRAVO:	Clarasol tiene dos oficinas. Una en Vigo y la otra aquí en Madrid. Hay dos plantas. La cuarta planta y la quinta planta. En la quinta planta están las oficinas de dirección, contabilidad y personal, y en la cuarta planta están las oficinas de administración, márketing, compras y ventas.
DAVID HAWKINS:	¿Dónde están los servicios?
CARMEN BRAVO:	Hay servicios en ambas plantas. También hay una cafetería en la planta baja.
DAVID HAWKINS:	Hay cinco plantas en el edificio, ¿no?
CARMEN BRAVO:	No. Hay ocho.

EJERCICIO 2.1

Answer the questions about *Diálogo 2* and then correct your answers by listening to the cassette.

1 ¿Hay una planta?   No. Hay dos plantas.

2 ¿Clarasol tiene dos oficinas?

3 ¿Las oficinas de administración están en la quinta planta?

4 ¿Hay una cafetería en la cuarta planta?

5 ¿David Hawkins está en las oficinas de Vigo?

6 ¿Hay servicios en ambas plantas?

EJERCICIO 2.2

Work in pairs. Using the information in *Diálogo 2*, ask each other where the following offices are. Use *¿Dónde está?* 'where is?' for singular nouns and *¿Dónde están?* 'where are?' for plural nouns.

Ejemplo   Partner A: ¿Dónde están las oficinas de personal?
Partner B: Las oficinas de personal están el la quinta planta.

Partner A
las oficinas de personal
las oficinas de dirección
el departamento de márketing
los servicios

Partner B
la cafetería
las oficinas de contabilidad
el departamento de ventas

GRAMÁTICA   *Hay*

Hay means 'there is' or 'there are'. It can also mean 'is there?' or 'are there?' if used in questions.

Hay dos plantas   *there are two floors*
Hay una recepcionista   *there is a receptionist*
¿Hay un ascensor?   *is there a lift?*
¿Hay ocho plantas?   *are there eight floors?*

Aquí, ahí, allí

Aquí means 'here', *ahí* means 'there' and *allí* means 'over there'. Listen to the cassette to hear their pronunciation.

EJERCICIO 2.3

Listen to the cassette and tick the correct column.

	aquí	ahí	allí
escritorio			
servicios			
departamento de ventas			
departamento de márketing			
la cafetería			
la oficina del señor Galán			

EJERCICIO 2.4

Listen to the pronunciation of the following words on the cassette.

una máquina de escribir   *a typewriter*
un ordenador   *a computer*

Now answer the questions on the cassette referring to the illustration overleaf.

Ejemplo   Escuche: ¿Hay un fax?
Responda: Sí, hay un fax.
o
No. No hay un fax.

GRAMÁTICA   *Plurales* – plurals

In Spanish plurals are formed:

1 by adding *s* if the word ends in a vowel

La secretaria   las secretaria**s**

2 by adding *es* if the word ends in a consonant except *z*

La sección   las seccion**es**

3 by changing the *z* to *c* and adding *es* if the word ends in *z*

El aprendi**z**   los aprendic**es**

NOTAS   The plural of *el* 'the' is irregular – *los*.

EJERCICIO 2.5

How would you say the following in Spanish?

1 Sergio is here.

2 The telephones are over there.

3 The toilets are there.

4 The typewriter is there.

5 The offices are over there.

6 The fax is here.

DIÁLOGO 3   *El Departamento de Márketing*

Carmen Bravo explica a David Hawkins las funciones del departamento de márketing.

Carmen Bravo tells David Hawkins about the functions of the marketing department.

 Escuche y repita:

con	*with*
mantenemos contacto constante	*we maintain constant contact*
estar al tanto	*to be up to date*
los cambios en el mercado	*changes in the market*
los estudios de mercado	*market research*
especialmente	*particularly*
en muchos aspectos	*in many ways*
desde luego	*of course*
esta tarde	*this afternoon*
sabe mucho de márketing	*he knows a lot about marketing*

 Escuche el diálogo:

CARMEN BRAVO: La sección de márketing está aquí.
DAVID HAWKINS: ¿Hay mucho contacto con los clientes?
CARMEN BRAVO: Sí, mantenemos contacto constante con supermercados, distribuidores, mayoristas y minoristas. Es muy importante estar al tanto de los cambios en el mercado. Enrique Ortega organiza los estudios de mercado.
DAVID HAWKINS: Los estudios de mercado son muy interesantes.

> Especialmente en un país diferente.
>
> CARMEN BRAVO: Sí. España es muy diferente a Inglaterra en muchos aspectos. ¿No?
>
> DAVID HAWKINS: Sí, desde luego.
>
> CARMEN BRAVO: Tiene una reunión esta tarde a las tres con Enrique. Él sabe mucho de márketing.

EJERCICIO 3.1

Fill in the gaps with *pero* 'but', *con* 'with', *de* 'from/of', or *en* 'in'.

1 Trabajamos .... Enrique Ortega .... la sección de márketing .... Clarasol.

2 La oficina .... José Manuel Galán está .... la quinta planta.

3 Somos diez personas aquí, ... hay más .... las oficinas .... la quinta planta.

4 Tiene una reunión .... el jefe de márketing .... la oficina principal.

NOTAS

De can be used with *el* and *la* to mean 'of/from the' but when it is used with *el*, the two words are joined together as *del*.

> del hotel
> de la oficina

In the plural *de* behaves as follows:

> de los hoteles
> de las oficinas

EJERCICIO 3.2

Link an item from each column to form a sentence.

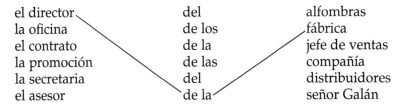

el director	del	alfombras
la oficina	de los	fábrica
el contrato	de la	jefe de ventas
la promoción	de las	compañía
la secretaria	del	distribuidores
el asesor	de la	señor Galán

EJERCICIO 3.3

Choose a suitable verb from the box below and complete the sentences remembering to use the correct form of the verb in each case.

> comprar   exportar   importar   trabajar   tratar   estudiar

1 España .... aceite a Europa.

2 Ella .... en el departamento de personal.

3 Yo .... en la universidad.

4 España .... automóviles de Francia.

5 Vosotros .... en el supermercado.

6 Los supermercados .... con los distribuidores.

EJERCICIO 3.4

Work in pairs. Partner A works for the publicity department of a
manufacturing company. Partner B is confused about what exactly Partner A
does and should try to find out. Partner A should correct Partner B if necessary.

campañas de publicidad *advertising campaigns*
periodista *journalist*

Ejemplo Partner B: ¿Ustedes utilizan una agencia de publicidad?
Do you use an advertising agency?
Partner A: No. Nosotros realizamos las campañas de publicidad.
No we do the advertising campaigns.

Partner A What you do	**Partner B** What you think
realizar campañas de publicidad	utilizar una agencia de publicidad
hablar con los distribuidores por teléfono	visitar a los distribuidores
tratar con los periodistas	tratar con los periodistas
promocionar en la televisión y la radio	promocionar en la televisión y la radio
tener un departamento de márketing	consultar con un asesor de márketing

GRAMÁTICA ## *Ir* – to go

Ir, like *ser* and *estar*, is an irregular verb. Irregular verbs are so called because
they do not follow the same pattern as regular verbs. The present tense of *ir* is:

voy	*I go*	vamos	*we go*
vas	*you go*	vais	*you go*
va	*he she goes; you go*	van	*they go; you go*

EJERCICIO 3.5

Use the clues below to fill in the crossword overleaf with the appropriate part
of *ir*. 2 across has been done for you as an example.
Across
2 Ellos van a la feria comercial

4 ¿Vosotros .... al mítin?

5 Yo .... a Milán

Down
1 ¿Bárbara .... a la fiesta?

2 ¿Tú .... a la reunión?

3 Javier y yo .... a Italia.

			1	
		2	*v*	*a*	*n*
	3			
4				
5				

EJERCICIO 3.6

What are these people saying? Fill in the speech bubbles with *¿A dónde + ir?*

GRAMÁTICA   *Negativos* – negatives

You have already met some negatives in Spanish. They are formed by placing *no* before the verb.

¿Es inglés?   No, **no es** inglés.
¿Hay teléfono?   No, **no hay** teléfono.

EJERCICIO 3.7

Listen to the cassette and answer the questions in the pauses using *no*.

Ejemplo   Escuche: ¿Carmen Bravo es la jefa de ventas?
               Responda: No, no es la jefa de ventas. Es la secretaria.

1 ¿Carmen Bravo es la jefa de ventas?

2 ¿David Hawkins es francés?

3 ¿Clarasol tiene cinco oficinas?

4 ¿José Manuel Galán es un estudiante?

5 ¿Juan Moya trabaja para IBM?

6 ¿Clarasol exporta enchufes?

EJERCICIO 3.8

The column on the right contains the days of the week in Spanish but they are in the wrong order. Listen to the recording of them in the correct order and match them to the English.

Monday   *miércoles*
Tuesday   *domingo*
Wednesday   *lunes*
Thursday   *viernes*
Friday   *martes*
Saturday   *jueves*
Sunday   *sábado*

EJERCICIO 3.9

Here are the months in Spanish. Listen to their pronunciation on the cassette. Then group them into their seasons.

January	*enero*
February	*febrero*
March	*marzo*
April	*abril*
May	*mayo*
June	*junio*
July	*julio*
August	*agosto*
September	*septiembre*
October	*octubre*
November	*noviembre*
December	*diciembre*

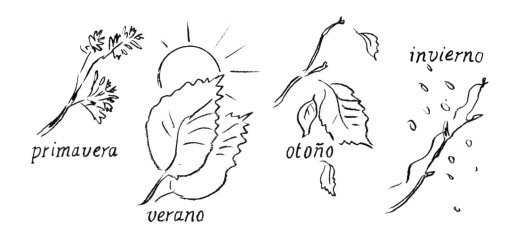

primavera

verano

otoño

invierno

EJERCICIO 3.10

Listen to the cassette and correct the information according to the whispered prompts.

Ejemplo   Escuche: Hoy es miércoles. ¿No? (*jueves*)
              Responda: No. Hoy es jueves.

el próximo   *next*

1 Hoy es miércoles. ¿No?

2 ¿El próximo martes tengo una reunión?

3 ¿Usted va a Londres el próximo jueves?

4 El nuevo aprendiz llega el domingo. ¿No?

5 ¿La promoción termina el próximo viernes?

6 ¿Ramón trabaja el lunes?

DIÁLOGO 4   *La agenda de hoy*

Carmen Bravo organiza la jornada de trabajo con David Hawkins.

Carmen Bravo and David Hawkins organise the day.

Escuche y repita:

además	*further/also*
una corta entrevista	*a short interview*
antes o después	*before or after*
ahora	*now*
por todo	*for everything*
de nada	*not at all*
¿quedamos para comer?	*shall we arrange to have lunch?*
a las dos	*at two o'clock*

Escuche el diálogo:

CARMEN BRAVO: Además de la reunión con Enrique, tiene una corta entrevista con el jefe regional de ventas.

DAVID HAWKINS: ¿Con Blanca Maté?

CARMEN BRAVO: No. Ella es la jefa de compras. El señor Galán es el jefe regional de ventas.

DAVID HAWKINS: ¿Y la entrevista con el señor Galán es antes o después de la reunión con el señor Ortega?

CARMEN BRAVO: Es después. Lo siento, David. Ahora voy a una reunión en el departamento de ventas. Isabel Alonso, del departamento de personal, tiene los detalles y las actividades del día para usted.

DAVID HAWKINS: ¿Dónde está el departamento de personal?

CARMEN BRAVO: Está en la quinta planta.

DAVID HAWKINS: Gracias por todo, señorita Bravo.

CARMEN BRAVO: De nada. Hasta luego. ¿Quedamos para comer?

DAVID HAWKINS: ¿En la cafetería?

CARMEN BRAVO: Sí, en la planta baja a las dos. ¿De acuerdo?

DAVID HAWKINS: De acuerdo.

NOTAS

El señor Galán. In Spanish when you refer to someone formally who is not involved in the conversation you should use *el señor* or *la señora/señorita* + their surname. If you wish to address the person you are speaking to formally you use, *señor/señora/señorita* + their surname.

EJERCICIO 4.1

Work in pairs. Make suggestions about doing things together.

Ejemplo   Partner A: ¿Quedamos para charlar?
                Partner B: Sí. De acuerdo.

Partner A	**Partner B**
charlar	organizar el lanzamiento
visitar la otra oficina	cenar
ir a la reunión	terminar el trabajo
revisar los resultados	

EJERCICIO 4.2

In the following exercise you play the part of a secretary in a situation similar to that in *Diálogo 4*. Read the prompts and then listen to the cassette, speaking in the pauses provided.

EL APRENDIZ: Buenos días. ¿Tengo mucho trabajo hoy?

SECRETARY: *Explain to the trainee that he has a meeting with Mr Sánchez at three.*

EL APRENDIZ: ¿El señor Sánchez es el director de personal?

SECRETARY: *Explain that Mr Sánchez is the regional sales director.*

EL APRENDIZ: ¿La oficina del señor Sánchez está en la seguna planta?

SECRETARY: *Explain that it's on the third floor and that he also has a short interview with Mrs Rodríguez.*

EL APRENDIZ: ¿Antes de la reunión con el señor Sánchez?

SECRETARY: *Explain that the interview is after the meeting. Apologise and explain that you are going to a meeting now. Arrange to meet for lunch.*

EL APRENDIZ: ¿En el restaurante italiano?

SECRETARY: *Agree to meet in the Italian restaurant at two o'clock and say goodbye.*

GRAMÁTICA   *La hora*

Here is some vocabulary that is useful when making arrangements:

a la una	*at one o'clock*
a las dos	*at two o'clock*
a las tres etc.	*at three o'clock etc.*
a las diez de la mañana/noche	*at ten in the morning/night*
esta mañana	*this morning*
esta tarde	*this afternoon*
esta noche	*this evening/tonight*
mañana	*tomorrow*
ayer	*yesterday*
hoy	*today*
el próximo viernes/junio	*next Friday/June*

NOTAS

The time is always feminine: *a las siete*.

'One o'clock' is singular: *a la una*, but all the other times are plural: *a las dos*.

'Morning', 'afternoon', 'evening' and 'night' are all feminine: *esta tarde, esta noche*.

EJERCICIO 4.3

Work in pairs. Use the diaries below and overleaf to describe your day to each other.

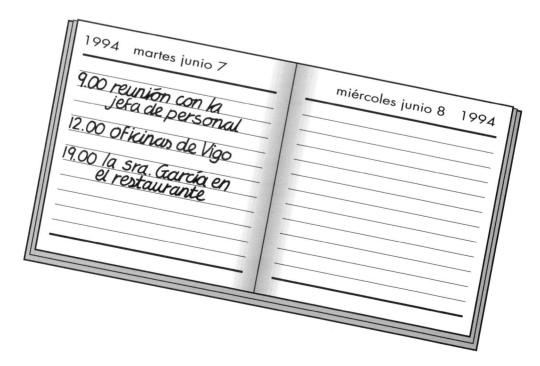

1994   martes junio 7

9.00 reunión con la
jefa de personal

12.00 oficinas de Vigo

19.00 la sra. García en
el restaurante

miércoles junio 8   1994

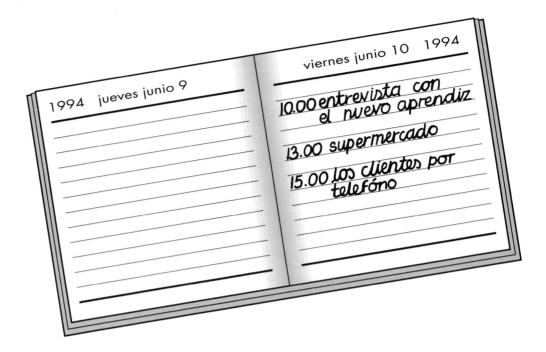

Ejemplo   Partner A: A las nueve tengo una reunión con la jefa de personal.

ir	tener	visitar	llamar	cenar

 EJERCICIO 4.4

Listen to José, Raquel, Margarita and Ramón discuss their appointments for the day. Note down in English each appointment.

Appointment

José

Raquel

Margarita

Ramon

EJERCICIO 4.5

Work with a group and discuss your plans for next Wednesday. Use *¿Qué haces el próximo miércoles?* 'what are you doing next Wednesday?' Answer using the expressions and vocabulary you have learnt.

Ejemplo   El próximo miércoles tengo una cita a las diez de la mañana.

REPASO

REPASO 1

Find the following EC countries in the word soup below: Luxemburgo, España, Francia, Irlanda, Dinamarca, Alemania, Gran Bretaña, Portugal, Italia, Grecia, Holanda, Bélgica.

H	O	L	A	N	D	A	A	S	D	F	P	G	H	I	J
F	Ñ	S	Q	W	E	R	T	Y	U	I	O	O	I	P	G
R	K	L	Z	X	C	Y	B	N	M	A	R	E	R	N	R
A	G	R	E	C	I	A	Ñ	Q	E	I	T	A	L	I	A
N	I	I	P	A	S	L	U	T	O	O	U	Y	A	E	N
C	D	F	L	U	X	E	M	B	U	R	G	O	N	E	F
I	G	D	I	N	A	M	A	R	C	A	A	H	D	J	B
A	Z	X	C	U	U	A	E	S	D	F	L	U	A	G	R
E	H	J	K	L	Z	N	I	X	C	V	B	N	I	O	E
A	M	U	O	Q	R	I	Y	I	A	P	S	F	A	H	T
K	Z	C	E	S	P	A	Ñ	A	B	É	L	G	I	C	A
U	V	M	A	W	R	T	O	O	D	U	G	A	E	J	Ñ
I	A	E	L	N	U	V	O	X	R	S	I	R	R	M	A

REPASO 2

How would you say the following in Spanish?

1 There are four lawyers in the firm.

2 The office is in Seville. It has three floors.

3 The photocopier is over there.

4 Next Tuesday I have a meeting at ten in the morning.

5 Miguel and Andrés visit New York in April.

6 What are you (informal) doing next Friday?

REPASO 3

Work in pairs. Look at the partially completed plans of the office building overleaf. Complete the plans by asking your partner for the missing information.

Ejemplo   ¿Dónde están las oficinas de Clarasol?

The following offices are located in the building:

> la cafetería   la agencia de publicidad   las oficinas de Clarasol   la escuela de moda   la agencia de viajes   el bufete de abogados   la escuela de idiomas

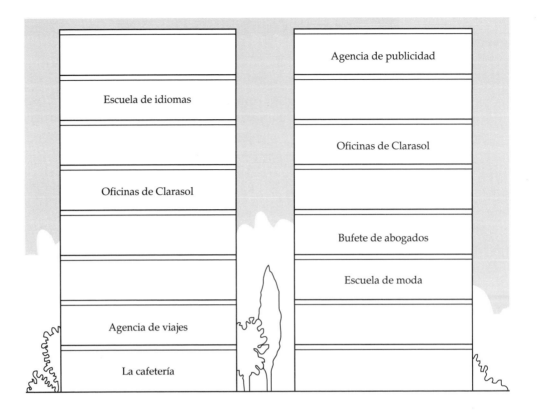

REPASO 4

Listen to the cassette and write down the numbers you hear.

REPASO 5

Listen to the cassette and repeat the sentences changing them according to the whispered prompts.

Ejemplo   Escuche: Hoy tenemos una reunión (*mañana*)
              Responda: Mañana tenemos una reunión.

1 Hoy tenemos una reunión.

2 Hay seis personas en la oficina.

3 El próximo viernes los directores van a Bonn.

4 En agosto Carmen va a Nueva York.

5 Hay una reunión en el departamento de ventas a las tres de la tarde.

6 Esta mañana hablamos con el jefe.

REPASO 6

Listen to three people asking for directions. Note down in Spanish where they want to go and where the place is.

Por último

Before moving on to the next chapter, make sure you know:

• how to give information about yourself and your job	*trabajo para una compañía francesa*
• how to explain what you want	*necesitamos un curso de español*
• how to describe places and understand descriptions of locations	*hay dos plantas/los servicios están ahí*
• how to make and understand appointments	*tiene una corta entrevista a las diez de la mañana*
• some –ar verbs	*trabajar*
• the irregular verb *ir*	*vamos a comer*
• how to form negatives and plurals in Spanish	*No. No es italiano/Las oficinas de Clarasol*
• the days of the week and the months of the year	
• demonstrative adjectives	*éste es el bufete de abogados*
• some cardinal and ordinal numbers	*dos/segundo*

CAPÍTULO TRES

Organizando el día
ORGANISING THE DAY

> **In this chapter you will learn how to:**
> - **plan your day**
> - **ask and give directions**
> - **find out about jobs**
> - **give and understand instructions**
> - **use the alphabet**

DIÁLOGO 1 *Hoy tiene un día muy complicado*

Isabel Alonso y David Hawkins discuten y planean el día.

Isabel Alonso and David Hawkins discuss and plan the day.

Escuche y repita:

está arriba	*it's upstairs*
según sale	*as you come out*
siga por el pasillo	*go down the corridor*
muy complicado	*very complicated*
a qué hora	*at what time*

Escuche el diálogo:

JUAN MOYA: El despacho de la señorita Alonso está arriba. Según sale de las escaleras, a la derecha, hay un pasillo. Siga por el pasillo. La oficina de la señorita Alonso es la segunda puerta a la izquierda.

DAVID HAWKINS: Gracias.

ISABEL ALONSO: Adelante, por favor.

DAVID HAWKINS: Soy David Hawkins, el nuevo aprendiz.

ISABEL ALONSO: ¡Ah sí! Hola. Yo soy Isabel Alonso. ¿Cómo está?

DAVID HAWKINS: Muy bien gracias.

ISABEL ALONSO: Hoy tiene un día muy complicado. Ahora son las diez y media. A las once tiene una cita con Enrique Ortega. Él tiene trabajo para usted. La hora de la comida es de dos a cuatro de la tarde.

DAVID HAWKINS: ¿Y después de la comida?

ISABEL ALONSO: Tiene una cita con José Manuel Galán, el jefe regional de ventas.

DAVID HAWKINS: ¿A qué hora?

ISABEL ALONSO: A las cuatro y media.

NOTAS

In Spanish *y media* is used to mean 'half past' as in *son las diez y media*.

La hora de comida es de dos a cuatro de la tarde 'lunch is from two until four'. The working day in Spain is usually from nine until half past one or two and then continues from four or five until seven or eight.

EJERCICIO 1.1

Listen to the recording of José Manuel Galán's plans for the day. There are some mistakes in the diary overleaf. Correct them in the blank diary.

MIERCOLES	
8.30 llegar a la oficina	
9.00	
10.00 hablar con Carmen Bravo	
11.00	
12.00 reunión con Alberto Pérez, hotel Gran Vía	
1.30 comida con la Asociación Aceitera de España	
2.00	
3.00	
4.00	
5.00	
6.00 llamar a gestoría	
7.00 ir a casa	
8.00	

MIERCOLES
8.30
9.00
10.00
11.00
12.00
1.30
2.00
3.00
4.00
5.00
6.00
7.00
8.00

EJERCICIO 1.2

Work in pairs. Look at the diaries below and try to arrange two meetings with each other; one in the morning, the other in the afternoon.

LUNES
9.00
10.00 llamar a los clientes
11.00
12.30 entrevista con el sr. Gil
1.00
2.00 comer con Patricia
3.00
4.00
5.00
6.00
7.00
8.00
9.00

LUNES
9.00 reunión con la jefa
10.00
11.30 ir al banco
12.00
1.00
2.00
3.00
4.30 visitar una feria
5.00
6.00
7.00
8.00
9.00

tenemos que organizar . . .	*we have to arrange . . .*
¿cuándo es más conveniente para usted?	*when is most convenient for you?*
lo siento	*I'm sorry*
tengo un/una . . .	*I have a . . .*
voy a . . .	*I'm going to . . .*
no puedo	*I can't*
¿a qué hora tiene libre?	*at what time are you free?*

GRAMÁTICA

–*er* verbs

Here are the forms of regular –*er* verbs in the present tense.

vender – to sell

vendo	*I sell*	vendemos	*we sell*
vendes	*you sell*	vendéis	*you sell*
vende	*he, she sells; you sell*	venden	*they sell; you sell*

EJERCICIO 1.3

Fill in the gaps with the correct form of a verb from the box below.

1 David Hawkins *aprende* las técnicas de márketing.

2 Los clientes .... los pedidos.

3 Yo no .... las instrucciones.

4 Clarasol .... con la exportación de aceite.

5 David y Carmen .... los balances de situación.

6 Vosotros .... en la cafetería.

comer   proceder   aprender   leer   comprender   suspender

GRAMÁTICA

Preguntas – questions

You have met some of the question words before such as, *¿cómo estas?* 'how are you?', *¿dónde está?* 'where is it/he?' Here are some more:

cuándo	*when*	por qué	*why*
cómo	*how*	cuánto	*how much/how many*
dónde	*where*	cuál	*which/what*
qué	*what*	quién	*who*

NOTAS

Cuánto, cuál and *quién* must agree with the nouns that follow them

¿cuán**tos** lib**ros**?	*how many books?*
¿cuán**tas** oficin**as**?	*how many offices?*

¿A qué hora? is used to ask at what time something happens

¿a qué hora es la reunión?	*at what time is the meeting?*

To ask what the time is use *¿qué hora es?*

¿Qué hora es? Son las nueve.	*What time is it? It's nine o'clock.*

EJERCICIO 1.4

Fill in the gaps with an appropriate question word.

1 ¿A .... hora tienes la cita?

2 ¿......... están los servicios?

3 ¿......... no utiliza la fotocopiadora? Porque no funciona.

4 ¿......... personas trabajan para Clarasol?

5 ¿......... termina la entrevista?

6 ¿......... funciona la fotocopiadora?

EJERCICIO 1.5

Match the answers to the questions.

1 Vamos a Berlín el próximo martes.
2 Comen en la cafetería de la compañía.
3 Francisco Martín y María Gómez son los directores.
4 Llamo para confirmar el pedido.
5 Tiene una reunión a las tres de la tarde.
6 Aprendéis con un libro.

a ¿Por qué llamas?
b ¿Cómo aprendemos?
c ¿A qué hora tengo una cita?
d ¿Quiénes son los directores?
e ¿Dónde comen?
f ¿Cuándo vais a Berlín?

EJERCICIO 1.6

Listen to the answers on the cassette and give the question according to the whispered prompt.

Ejemplo Escuche: Vamos a la feria en coche. (*cómo*)
Responda: ¿Cómo vais a la feria?

1 Vamos a la feria en coche.

2 Juan Moya es el recepcionista.

3 José Manuel Galán va a Vigo.

4 Voy a Londres para aprender inglés.

5 Tenemos una conferencia la semana próxima.

6 Nueve personas trabajan en la oficina.

GRAMÁTICA

Preposiciones

Here are some of the most common prepositions:

sobre	*on*
debajo de	*under*
dentro de	*inside*
en	*in/on*
delante (de)	*in front of*
detrás (de)	*behind*

al lado de	*beside*
cerca de	*near*
entre	*between*
frente a	*opposite*
el libro mayor está dentro de la cartera	*the ledger is inside the briefcase*
el ordenador está cerca de la ventana	*the computer is near the window*

EJERCICIO 1.7

How would you say the following sentences in Spanish?

la puerta   *the door*
las escaleras   *the stairs*
la recepción   *the reception area*

1 The photocopier is in the office opposite the toilets.

2 There is a telephone on the desk, beside the door.

3 The secretary is on the fifth floor in the office behind the stairs.

4 The marketing department is on the ground floor in front of the reception area.

5 The toilets are between the marketing department and Enrique Ortega's office.

DIÁLOGO 2   *Estamos muy ocupados en esta época del año*

David Hawkins comienza a trabajar con Enrique Ortega.

David Hawkins begins working with Enrique Ortega.

[cassette icon] Escuche y repita:

está abajo	*it's downstairs*
al fondo	*at the end*
un poco confuso	*a little confused*
como vamos a trabajar juntos	*since we are going to work together*
podemos tutearnos. ¿No?	*we can use the informal with each other, can't we?*

[cassette icon] Escuche el diálogo:

ISABEL ALONSO: . . . sí, el despacho de Enrique Ortega está abajo. Según sale de las escaleras, siga por el pasillo a la derecha. El despacho está al fondo a la derecha. Está al lado del departamento de ventas y frente a los servicios.

DAVID HAWKINS: De acuerdo, gracias.

ENRIQUE ORTEGA: Adelante.

DAVID HAWKINS: Hola. Soy David Hawkins. ¿Cómo está usted?

ENRIQUE ORTEGA: Estoy bien, gracias. En esta época del año estamos muy ocupados. ¿Y usted? ¿Cómo está?

DAVID HAWKINS: Estoy un poco confuso. Hay muchas cosas nuevas.

ENRIQUE ORTEGA: Bueno, David. Como vamos a trabajar juntos podemos tutearnos. ¿No?

DAVID HAWKINS: Desde luego. Estoy de acuerdo.

NOTAS

Como vamos a trabajar juntos. Here *como* means 'as/since'. Do not confuse it with *cómo* meaning 'how'.

Tutearnos means 'to use the informal with each other'. From this point onwards, Enrique and David will use *tú* rather than *usted* with each other. This will gradually happen with David's other colleagues as well.

[cassette icon] **EJERCICIO 2.1**

Look at the map of the Clarasol office below. You are at the point marked X. Listen to the directions on the cassette and find out to which office you are being directed.

Fourth floor

	Sr. Ortega	departamento de márketing	armario		[stairs]	Sra. Lapesa	departmento de ventas	sala de reuniónes
ascensor					X			
	servicios	departamento de compras	Sra. Méndez		recepción	Sr. Rodriguez	Departamento de administrción	Stra. Quesada

Fifth floor

	servicios	departmento de contabilidad	Sr. Claudín		Sra. Garcia	Srta. Alonso		departmento de control de calidad
							Sr. Correa	
ascensor								
	Sr. Galán	Sra. Maté	teléfono	Sr. Abellán		Srta. Ureña	departamento de personal	armario

EJERCICIO 2.2

Using the same map as *Ejercicio 2.1*, give directions to the person on the cassette who is asking the way to various offices. In each case use X as the starting point.

GRAMÁTICA

El abecedario – the alphabet

Listen to the pronunciation of the Spanish alphabet and repeat the letters in the pauses provided.

a b c ch d e f g h i j k l ll m n ñ o p q r rr s t u v w x y z.

EJERCICIO 2.3

Listen to the dialogue and write down the people's names that are being spelt out.

EJERCICIO 2.4

Work in pairs. You are finalising a list of people who are going to attend a conference. Read the names on your respective lists to each other and draw up the final list.

Ejemplo   Partner A: Juan Santos.
Partner B: ¿Cómo se escribe? (*How do you spell it?*)
Partner A: Juan, J–U–A–N. Santos, S–A–N–T–O–S.

Partner A
Juan Santos
Alfredo Montilla
Carlos Pérez
Sara Menéndez

Partner B
José María Induráin
William Fitzgerald
Laura Salazar

GRAMÁTICA

Estar – to be

Estar is used to describe location.

La oficina está en Vigo
¿Dónde está Enrique Ortega?

But it can also be used to describe temporary situations and states. For example, in *Diálogo 2* Enrique said *en esta época del año* **estamos** *muy ocupados* meaning 'at this time of year we are very busy'. Later on David said **estoy** *un poco confuso* and **estoy** *de acuerdo* meaning 'I'm a little confused' and 'I agree' respectively.

EJERCICIO 2.5

Fill the gaps with the correct form of either *ser* or *estar*.

1 José manuel Galán y Blanca Maté ……… en una reunión.

2 David Hawkins ……… el nuevo aprendiz.

3 En agosto la oficina ……… cerrada y los trabajadores ……… de vacaciones.

4 Yo no ……… de acuerdo.

5 La fábrica ……… muy grande.

6 Tatiana y yo ……… rusos.

EJERCICIO 2.6

Rearrange the jumbled sentences below.

de la mañana	España	a viernes
todo el día	tenemos	en la
y	en	coméis
trabajo	oficinas	de lunes
a la fábrica	varias	cafetería
a las ocho		
llego		

DIÁLOGO 3   *Hacemos muchos estudios de mercado*

Enrique Ortega describe a David Hawkins varias funciones del departamento de márketing.

Enrique Ortega describes some of the duties of the marketing department to David Hawkins.

Escuche y repita:

hacemos muchos estudios de mercado	*we carry out (lit. we make) a lot of market research*
sólo	*only*
a nivel nacional	*at a national level*
son muy eficientes y fiables	*they are very efficient, and reliable*
basada	*based*
si es necesario	*if it's necessary*
es parte de	*it's part of*
estas empresas	*these companies*

  Escuche el diálogo:

ENRIQUE ORTEGA: El departamento de márketing tiene varias funciones. Hacemos muchos estudios de mercado pero sólo a nivel nacional. Para los estudios a nivel internacional, contactamos con empresas internacionales. Estas empresas ofrecen servicios y también son muy eficientes y fiables.

DAVID HAWKINS: ¿Quién elabora las estrategias?

ENRIQUE ORTEGA: Nosotros. Cuando tenemos los datos necesarios, desarrollamos una estrategia basada en el precio, la promoción, el producto y la distribución. Después, consultamos con el departamento de ventas y de finanzas, y modificamos la estrategia si es necesario.

DAVID HAWKINS: ¿Y la publicidad?

ENRIQUE ORTEGA: Es parte de la estrategia pero también utilizamos una agencia de publicidad.

EJERCICIO 3.1

Look at the information below about two companies, Ex-por and Nick & Co. Using *Diálogo 3* as a basis, describe their activities and services. Begin like this: *Ex-por es una agencia de publicidad. Está en Sevilla. Tiene seis sucursales . . .*

Ex-por	**Nick & Co**
Agencia de Publicidad	Servicios de Catering
Calle Velázquez 8	J. Maetsuykerstraat 3
Sevilla	Den Haag
seis sucursales en Europa	Holanda
Crear mercados, organizar campañas de publicidad, desarrollar contactos internacionales, fomentar la exportación.	Preparar banquetes, organizar alojamientos, proveer servicio a conferencias.

EJERCICIO 3.2

Listen to María del Mar describe her job in a public relations company, *una compañía de relaciones públicas*, then answer the questions below in English.

1 For which PR company does she work?
   a Lasco
   b Clarasol
   c López y López

2 Does María del Mar find her job interesting?

3 With what type of company does she consult?

4 Does she speak any foreign languages?

5 Where is she going tomorrow and why?

GRAMÁTICA   *Adjetivos*

You have met a number of adjectives already such as *italiano* 'Italian', *ocupado* 'busy'. Most adjectives agree in number and gender with the nouns they describe.

   los directores (m + pl) son italianos
   la directora (f + sg) es italiana

Some adjectives, however, are invariable in gender

   la compañía (f) es grande   *the company is big*
   el despacho (m) es grande   *the office is big*

Other adjectives which are invariable in gender are *difícil, fácil, interesante* and *inteligente*.

EJERCICIO 3.3

Match the adjectives in the box to the illustrations below.

| caro   barata   interesantes   fácil   difícil |

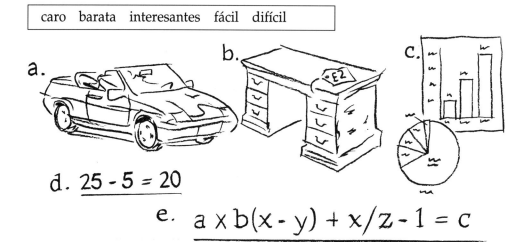

d. $25 - 5 = 20$

e. $a \times b(x - y) + x/z - 1 = c$

EJERCICIO 3.4

Select one group of words from each column to form sentences.

Ejemplo: Las oficinas de Clarasol son grandes.

el mundo de los negocios	son	barato
Carmen	es	grandes
las oficinas de Clarasol	está	complicado
usted	es	ocupada
el producto	está	interesado

DIÁLOGO 4 *Una presentación en el Hotel Ritz*

Enrique Ortega y David Hawkins preparan la presentación.

Enrique Ortega and David Hawkins prepare for the presentation.

Escuche y repita:

tenemos que	*we have to*
varios	*some*
primero	*first/first of all*
marcas el cero	*dial zero*
después	*then*
pides línea	*you ask for an outside line*
si no hay línea libre	*if there isn't a line free*
preguntas por	*you ask for*
vale	*OK*

Escuche el diálogo:

ENRIQUE ORTEGA: Esta tarde, a las seis, tenemos que ir al Hotel Ritz. Varios distribuidores sudamericanos están interesados en importar los productos de Clarasol a toda Sudamérica. Tengo que hacer una corta presentación.

DAVID HAWKINS: ¿Y yo? ¿Qué tengo que hacer?

ENRIQUE ORTEGA: Primero tienes que llamar a los distribuidores al hotel y confirmar la hora y el lugar de la presentación.

DAVID HAWKINS: Y ¿cómo llamo?

ENRIQUE ORTEGA: Es bastante fácil. Primero marcas el cero. Es el número de la centralita. Después, cuando contestan en centralita, pides línea. Si no hay línea libre, tienes que esperar. Cuando tienes línea, marcas el número del Ritz y preguntas por los señores Gómez, Touza y Capelli. ¿Vale?

DAVID HAWKINS: Vale.

NOTAS

Remember in Spanish the masculine plural form is used for a mixed gender group as in the dialogue when Enrique Ortega says *preguntas por los señores Gómez, Touza y Capelli*, señoras Capelli and Touza are women.

EJERCICIO 4.1

Listen to the series of instructions on your cassette and then number the verbs below in the order that you hear them. The first one has been marked for you.

- ☐ comer
- ☐ hablar
- ☐ leer
- ☐ llamar
- ☐ compar
- ☐1☐ ir
- ☐ confirmar

GRAMÁTICA

Tener que + infinitivo

Tener que means 'to have to' and, as in English, it is used with an infinitive.

tengo que llamar a los clientes	*I have to call the clients*
tienen que aprender alemán	*they have to learn German*

EJERCICIO 4.2

Put the English phrases in brackets into Spanish.

1 Él (*has to buy*) el periódico.

2 El departamento de márketing (*has to organise*) muchos estudios de mercado.

3 Vosotros (*have to wait*) por los resultados.

4 José Manuel Galán y Blanca Maté (*have to negotiate*) los precios.

5 Enrique Ortega (*has to develop*) la nueva estrategia.

EJERCICIO 4.3

a Work in pairs. Look at the illustrations and, using the vocabulary below, give each other instructions, using the informal, on how to use one of the machines. You may need to use the glossary.

Ejemplo: Primero, tienes que conectar el enchufe.

o

Conectas el enchufe.

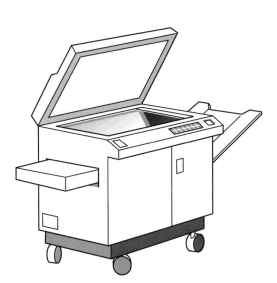

Partner A		**Partner B**	
conectar	un momento	conectar	diez pesetas
poner	el número de copias	pagar	el agua y el café
seleccionar	el botón	poner	el enchufe
pulsar	el enchufe	pulsar	un momento
esperar	el papel	esperar	el botón

primero   *first/first of all*
después   *afterwards*
entonces   *then*
finalmente   *finally*

b Now try giving the instructions using the formal.

Ejemplo: Primero, tiene que conectar el enchufe.

o

Conecta el enchufe.

EJERCICIO 4.4

Listen to the cassette and give a further instruction according to the whispered prompt. Begin each instruction *sí, pero primero* . . .

Ejemplo   Escuche: Tengo que llamar al jefe. (*revisar los resultados*)
            Responda: Sí, pero primero tiene que revisar los resultados.

1 Tengo que llamar al jefe.

2 Tenemos que exportar los productos a todo el mundo.

3 Tengo que visitar a los distribuidores.

4 Tienen que ir a una conferencia en Londres.

5 Tienes que hablar con los trabajadores.

6 Tenéis que desarollar un nuevo producto.

GRAMÁTICA

Hacer – to make/to do

The verb *hacer* means 'to make' or 'to do'. It can also mean 'to carry out'. It is an irregular verb.

hago	*I make/do*	hacemos	*we make/do*
haces	*you make/do*	hacéis	*you make/do*
hace	*he she makes/does; you make/do*	hacen	*they make/do; you make/do*

EJERCICIO 4.5

Work in pairs. Each student should put his part of the dialogue into Spanish and then carry out the conversation together.

Partner A   **Partner B**

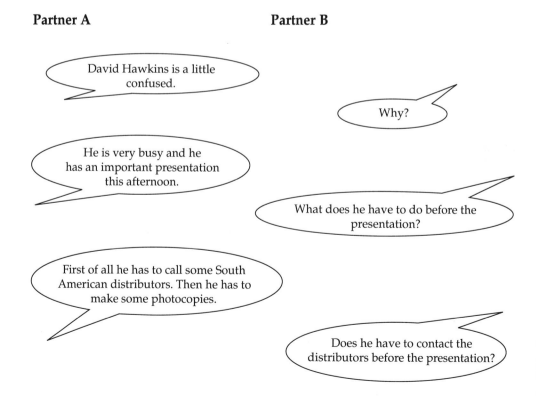

David Hawkins is a little confused.

Why?

He is very busy and he has an important presentation this afternoon.

What does he have to do before the presentation?

First of all he has to call some South American distributors. Then he has to make some photocopies.

Does he have to contact the distributors before the presentation?

REPASO

 ## REPASO 1

Listen to the dialogue and fill in the gaps.

- El departamento de ventas .... varias funciones. .... muchos vendedores .... pero sólo a .... nacional. Para las ventas a nivel internacional, ... un sistema de representantes .... Los representantes son muy .... y ....
- ¿......... elabora las estrategias?
- Nosotros y el .... de márketing. Desarrollamos una estrategia .... en .... contacto .... con los .... y en el control .... calidad. Después .... con el departamento de finanzas y .... la estrategia si es necesario.

REPASO 2

Read the following passage and decide whether the statements below are true or false.

Hoy tengo que ir al centro de la ciudad para comprar una revista española: *Economía y Mercado.* ¿Por qué? La razón es simple. Soy Richard Turner y trabajo para una agencia de publicidad en Londres. La próxima semana tengo que ir a Sevilla a una conferencia. Es importante leer un poco acerca de la situación económica de España antes de llegar allí.

	Verdadero	Falso
1 Richard is going to buy a book.		
2 He is going to London next week.		
3 He works for an advertising agency.		
4 He wants to understand Spanish politics.		
5 He has to go to Seville for a conference.		

REPASO 3

Rearrange the jumbled sentences.

de mucho prestigio	muy	una presentación
es	de abajo	David Hawkins
una institución	la cafetería	con
de Salamanca	cara	Enrique Ortega
la universidad	es	prepara

REPASO 4

Pairwork. Give another student instructions about how to use the tape recorder. Prepare what you are going to say carefully.

REPASO 5

Roleplay. Carry on a dialogue with another student following the prompts below. Use the formal.

Partner A	Partner B

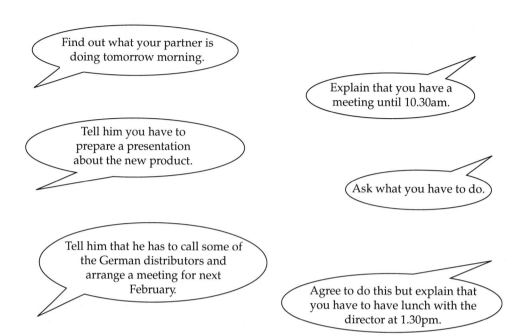

Find out what your partner is doing tomorrow morning.

Explain that you have a meeting until 10.30am.

Tell him you have to prepare a presentation about the new product.

Ask what you have to do.

Tell him that he has to call some of the German distributors and arrange a meeting for next February.

Agree to do this but explain that you have to have lunch with the director at 1.30pm.

Por último

Before moving on to the next chapter, make sure you know:

• how to plan the day	*tiene una cita con José Manuel Galán*
• how to give and understand information about tasks	*hacemos muchos estudios de mercado*
• some *–er* verbs	*vender*
• how to ask more complicated questions	*¿qué tengo que hacer?/¿quiénes son los directores?*
• how to give and understand instructions	*pides línea/tiene que llamar a los distribuidores*
• some prepositions	*entre los servicios y las escaleras*
• the use of the verb *estar* for temporary states	*estoy un poco confuso*
• some adjectives	*el mundo de los negocios es complicado*
• *tener que*	*tengo que ir a una reunión*
• the alphabet	
• the irregular verb *hacer*	

Haciendo los arreglos necesarios

In this chapter you will learn how to:
- **make telephone calls**
- **confirm arrangements**
- **read menus and order food**
- **understand instructions**

DIÁLOGO 1 *Ya puede hablar*

David Hawkins llama a los distribuidores sudamericanos.

David Hawkins calls the South American distributors.

Escuche y repita:

dígame	*lit. speak to me*
¿me da línea?	*can you give me an outside line?*
ya puede marcar	*you can dial now*
no están	*they're not there*
¿quiere dejar un recado?	*would you like to leave a message?*
más tarde	*later*

Escuche el diálogo:

CENTRALITA:	Centralita, dígame.
DAVID HAWKINS:	Soy David Hawkins el ayudante de Enrique Ortega. ¿Me da línea, por favor?
CENTRALITA:	Momento, por favor . . . Ya puede marcar.
DAVID HAWKINS:	Gracias.
HOTEL RITZ:	Hotel Ritz, buenos días. Dígame.
DAVID HAWKINS:	Buenos días, soy David Hawkins de Clarasol. Necesito hablar con los señores Gómez, Touza y Capelli, por favor.
HOTEL RITZ:	Un momento . . . Lo siento, pero no están. ¿Quiere dejar un recado?
DAVID HAWKINS:	No gracias. Llamo más tarde entonces.

NOTAS

Dígame is the normal way of answering the phone in Spanish.

Quiere dejar means literally 'do you want to leave'.

EJERCICIO 1.1

Listen to the telephone conversation on the cassette and answer the questions below.

1 What is the name of the travel agency?

2 Where is Ms González?

3 Does the caller leave a message?

4 At what time does the meeting finish?

5 What is the caller going to do?

EJERCICIO 1.2

Complete the conversation by choosing phrases from the box below. Then listen to the cassette and play the part of Sandra Valdés in the pauses provided.

JUAN MOYA:	Clarasol, dígame.
SANDRA VALDÉS:	....
JUAN MOYA:	Un momento. Lo siento, el señor Galán está en una conferencia. ¿Quiere dejar un recado?

SANDRA VALDÉS:	....
JUAN MOYA:	Termina a la una pero después tiene que comer con varios clientes hasta las tres.
SANDRA VALDÉS:	....
JUAN MOYA:	Muy bien.
SANDRA VALDÉS:	....
JUAN MOYA:	De nada, adiós.

Entonces, llamo después de las tres.

Buenos días, soy Sandra Valdés, representante de la compañía Super Aceite. Necesito hablar con el señor Galán.

De acuerdo, muchas gracias.

¿A qué hora termina la conferencia?

GRAMÁTICA *Poder* – to be able to

Poder is an irregular verb and it means 'to be able to'. It is often used with an infinitive to mean 'I can do something'.

puedo entender el español   *I can understand Spanish*

puedo	*I can*	podemos	*we can*
puedes	*you can*	podéis	*you can*
puede	*he, she can; you can*	pueden	*they can; you can*

 EJERCICIO 1.3

Fill the gaps with the appropriate part of the verb *poder* in the present tense. Then correct your answers if necessary by listening to the sentences on the cassette.

1 ¿Yo .... dejar un recado?

2 ¿Manuel y yo .... concertar una cita?

3 Vosotros no .... llamar después de las seis.

4 Usted no .... hablar con el señor Gómez.

5 Él .... leer en tres idiomas, pero no los .... hablar todos.

6 Las compañías .... ofrecer un servicio muy bueno.

 EJERCICIO 1.4

Listen to cassette of people asking if they or if someone else can do something. Tick *sí* if they can and *no* if they can't.

Sí   No

1 ¿Puedo visitar el hotel el próximo miércoles?

2 ¿Ustedes pueden organizar una reunión?

3 ¿Puede llamar esta tarde?

4 ¿El señor Méndez puede cenar con nosotros esta noche?

5 ¿Usted puede trabajar el próximo fin de semana?

6 ¿No podemos terminar la reunión antes de las dos?

EJERCICIO 1.5

Look at the illustrations of some of Carmen Bravo's skills. Then listen to the cassette and answer the questions about what she can and can't do.

Ejemplo Escuche: ¿Puede hablar alemán?
Responda: No. No puede.

GRAMÁTICA *Querer* – to want

The verb *querer* is irregular and means 'to want'. Like *poder* it is often used with an infinitive to mean 'to want to do something'.

quiero organizar una conferencia *I want to organise a conference*

quiero	*I want*
quieres	*you want*
quiere	*he, she wants; you want*
queremos	*we want*
queréis	*you want*
quieren	*they want; you want*

EJERCICIO 1.6

Join the two parts of the sentences below with the appropriate form of the verb *querer*.

Ejemplo: Blanca Maté quiere cambiar de trabajo.

1 Enrique Ortega
2 David Hawkins
3 Clarasol
4 Blanca Maté
5 Los distribuidores sudamericanos

a cambiar de trabajo
b exportar aceite a muchos países
c importar y vender aceite para obtener grandes beneficios
d aprender español y comprender el mundo de los negocios
e influir en los distribuidores sudamericanos

EJERCICIO 1.7

Answer the questions on the cassette according to the whispered prompts.

Ejemplo Escuche: ¿Qué quieren ustedes? (*trabajar con usted*)
Responda: Queremos trabajar con usted.

1 ¿Qué quieren ustedes?

2 ¿Qué quieres?

3 ¿Qué quiere David Hawkins?

4 ¿Qué quieren?

5 ¿Qué quiere Carmen Bravo?

6 ¿Qué queréis?

DIÁLOGO 2   *En la cafetería*

Carmen Bravo y David Hawkins van a comer a la cafetería.

Carmen Bravo and David Hawkins go to eat in the cafeteria.

 Escuche y repita:

¿dónde nos sentamos?	*where shall we sit?*
¿qué desean tomar?	*what would you like to eat?*
de primero/segundo	*for first/second course*

 Escuche el diálogo:

CARMEN BRAVO: ¿Dónde nos sentamos, David?
DAVID HAWKINS: Aquí está bien. ¿No?
CAMARERO: ¿Qué desean tomar, señores?
DAVID HAWKINS: ¿Podemos ver el menú?
CAMARERO: Lo siento, no hay menú. Tenemos de primero, sopa de
                   vegetales o judías con jamón. De segundo, solomillo con
                   patatas o merluza a la plancha.
CARMEN BRAVO: De primero quiero judías con jamón y de segundo, quiero
                   solomillo con patatas.
DAVID HAWKINS: Yo también.
CAMARERO: ¿Qué desean de beber?
CARMEN BRAVO: Vinto tinto. ¿Y tú?
DAVID HAWKINS: Agua mineral.
CAMARERO: Bueno, entonces tenemos; dos judías con jamón, dos solomillos
                   con patatas, un vino tinto y un agua mineral. De acuerdo.

NOTAS

In cafeterias in Spain it is common for the waiter to tell you the menu of the
day. Printed menus are generally found in restaurants.

EJERCICIO 2.1

Listen to a couple ordering a meal in a restaurant and tick what they order.

	Señor	Señora
Alcachofas con jamón		
Ensalada		
Pimientos de padrón		
Chipirones en su tinta		
Rape		
Calamares a la Romana		
Rabo de toro		
Vino tinto		
Vino blanco		
Vino de verano		
Agua mineral		
Cerveza		

EJERCICIO 2.2

Look at the menu below and listen to the recording of the waiter asking for your order. Then play the cassette again and give him your order in the pauses provided. Try playing the part of the waiter and ask your partner for his/her order.

Menu

De primero:
Gazpacho *(cold vegetable soup)*

Revuelto de Ajetes *(scambled egg with garlic)*

Entremeses Variados *(selection of hors d'oeuvres)*

De segundo:
Chuletas de Cordero con Patatas *(lamb chops with potatoes)*

Pisto Manchego *(vegetable casserole)*

Boquerones Fritos *(fried anchovies)*

De postre:
Flan de la Casa *(créme caramel)*

Helado de Chocolate *(chocolate ice-cream)*

Fruta del tiempo *(seasonal fruit)*

De beber:
Vino Blanco o Tinto *(red or white wine)*

Agua Mineral *(mineral water)*

GRAMÁTICA   *a*

When *a* 'to' is immediately followed by *el* 'the', they join to form *al* 'to the'.

Carmen va al restaurante   *Carmen goes to the restaurant*

EJERCICIO 2.3

Fill the gaps with *al*, *a la*, *del* or *de la*.

1 Esta tarde voy ……… reunión.

2 ¿Puede llamar después ……… una?

3 Según sale ……… despacho, hay una escalera.

4 Queremos ir ……… hotel porque hay una conferencia.

5 Buenas tardes. Soy Enrique Ortega ……… compañía Clarasol.

6 Los servicios están ……… fondo ……… derecha.

EJERCICIO 2.4

Read the letter and the business card below from Belén Delgado who is enquiring about a visa to visit Canada and the United States. Then fill in the visa application form with Belén's personal details taken from her letter.

Calle General Pardiñas 24, 4 Izq
28001 Madrid
Tel: 4354294

Muy señor mío:

Soy Belén Delgado Irizarry. Quiero solicitar un visado para viajar a Canadá y los Estados Unidos. Tengo 29 años (fecha de nacimiento: 15.08 1962) y soy española. Trabajo para la Universidad Autónoma de Madrid y deseo aprender inglés. Quiero permanecer en el extranjero durante tres meses.

Gracias por su ayuda,

P.D. Numero de DNI: 50992184

Srta Belén Delgado Irizarry
Profesora de francés
Universidad Autónoma de Madrid
Tel: 2309983

Solicitud de Visado

Nombre: ....   Apellidos: ....

Edad: ....   Estado civil: ....

Domicilio: ....   Sexo: ....

Teléfono: ....

Profesión: ....

Cargo que ocupa: ....

Fecha de nacimiento: ....

Países que desea visitar: ....

Cúanto tiempo: ....

Firma: ....

GRAMÁTICA   *Ir + a + infinitivo*

In Spanish, as in English, you can use *ir + a + infinitivo* to express a future idea.

voy a llamar al hotel	*I'm going to call the hotel*
mañana vamos a tener una reunión	*tomorrow we are going to have a meeting*

EJERCICIO 2.5

Use *ir + a +* an infinitive from the box below to complete the sentences.

acompañar   cambiar   aprender   desarrollar   visitar   ofrecer

1 Belén Delgado Irizarry .... Canadá durante tres meses.
2 David Hawkins .... Enrique Ortega a la presentación.
3 El amigo de Carmen Bravo .... de trabajo.
4 ¿Nosotros .... varios nuevos servicios?
5 Ustedes .... mucho español.
6 El departamento de márketing .... una nueva estrategia.

EJERCICIO 2.6

Listen to the cassette and use the illustrations below to answer the questions.

Ejemplo   Escuche: ¿Juan Moya va a trabajar a la oficina?
            Responda: No. Él va a ir de vacaciones.

1 Enrique Ortega
hacer una presentación

2 Carmen Bravo
clasificar las cartas

3 David Hawkins
leer un folleto de Clarasol

4 José Manuel Galán y Isabel Alonso
entrevisar los candidatos

aeropuerto

5 Blanca Maté
comer con una amiga

6 Juan Moya
ir de vacaciones

GRAMÁTICA   *Números*

Listen to the numbers below on the cassette and repeat in the pauses provided.

11	once	21	veintiuno	31	trienta y uno
12	doce	22	veintidós	32	treinta y dos
13	trece	23	veintitrés	33	treinta y tres
14	catorce	24	veinticuatro	34	treinta y cuatro
15	quince	25	veinticinco	35	treinta y cinco
16	dieciséis	26	veintiséis	36	treinta y seis
17	diecisiete	27	veintisiete	37	treinta y siete
18	dieciocho	28	veintiocho	38	treinta y ocho
19	diecinueve	29	veintinueve	39	treinta y nueve
20	veinte	30	treinta	40	cuarenta

41	cuarenta y uno	42	cuaranta y dos	43	cuarenta y tres etc.
50	cincuenta	51	cincuenta y uno etc.	60	sesenta
70	setenta	80	ochenta	90	noventa
100	cien				

NOTAS

If you want to say someone's age you must use *tener* + *número* + *años*.

tiene treinta y nueve años   *he's thirty-nine*

EJERCICIO 2.7

Listen to the cassette and write down the numbers you hear.

EJERCICIO 2.8

Listen to the sentences on the cassette and repeat the sentence increasing the number that you hear by one in each case.

Ejemplo   Escuche: Hay vienticuatro escritorios en la oficina.
                Responda: Hay vienticinco escritorios en la oficina.

1 Hay vienticuatro escritorios en la oficina.

2 Vas a visitar la fábrica el día diecinueve. ¿No?

3 Tengo que organizar alojamiento para cuarenta y dos personas.

4 La secretaria va a hacer setenta fotocopias.

5 Vais a invitar noventa y cuatro personas al banquete. ¿No?

6 El despacho del señor Rodríguez es el número cincuenta y seis.

DIÁLOGO 3   *Llamo para confirmar la cita*

David Hawkins intenta llamar a los distribuidores otra vez.

David Hawkins tries to call the distributors again.

Escuche y repita:

¿de qué se trata?	*what's it about?*
¿están los señores Gómez . . . ?	*are Mr Gómez . . . there?*
acerca de	*about*
llamo para confirmar	*I'm calling to confirm*
nuestra cita	*our appointment*

Escuche el diálogo:

HOTEL RITZ: Hotel Ritz, buenas tardes. ¿Dígame?

DAVID HAWKINS: Buenas tardes. ¿Están los señores Gómez, Touza y Capelli?

HOTEL RITZ: La señora Touza está. ¿De qué se trata, por favor?

DAVID HAWKINS: Es acerca de una cita.

HOTEL RITZ: Un momento.

ELSA TOUZA: Elsa Touza, ¿dígame?

DAVID HAWKINS: Buenas tardes señora Touza. Soy David Hawkins, el ayudante de Enrique Ortega de la compañía Clarasol.

ELSA TOUZA: ¡Ah! hola. ¿Cómo está?

DAVID HAWKINS: Muy bien, gracias. Llamo para confirmar nuestra cita con usted y los señores Capelli y Gómez hoy a las seis de la tarde.

ELSA TOUZA: Sí, sí. ¿Puede repetir la hora?

DAVID HAWKINS: A las seis de la tarde en la sala de conferencias del hotel.

ELSA TOUZA: Muy bien, de acuerdo.

DAVID HAWKINS: Hasta luego.

EJERCICIO 3.1

Reorder the sentences to build a telephone conversation. Then check your answers on the cassette.

☐ Sí, desde luego.
☐ Quiero hablar con el señor Cano, por favor.
☐ Es acerca del maratón de julio
☐ Rumalsa, buenos días.
☐ ¿Puedo dejar un recado?
☐ Un momento
☐ ¿De qué se trata?
☐ Buenos días. Soy Bill Beetham de *Running Weekly*, una revista inglesa de deportes.
☐ Lo siento pero no está.

EJERCICIO 3.2

The telephone conversation below is only half completed. Put the caller's sentences into Spanish. The expressions below will help you. Then listen to the cassette and play the part of the caller in the pauses provided.

el día ocho de noviembre   *the eighth of November*
servicios y facilidades para conferencias   *conference facilities*

celebrar una conferencia para quince personas   *to hold a conference for fifteen*
people

HOTEL DON DIEGO:	Hotel Don Diego, ¿dígame?
CALLER:	*Hello. Do you have any conference facilities?*
HOTEL DON DIEGO:	Desde luego. ¿Quiere hablar con el director de conferencias?
CALLER:	*Yes please.*
JUAN COUTO:	Juan Couto, ¿dígame?
CALLER:	*Hello I'm Enrique Ortega, the marketing director of Clarasol. I want to hold a conference for fifteen people.*
JUAN COUTO:	Tenemos dos salas de conferencias. La sala pequeña es para cuarenta personas. Pero en esta época del año estamos muy ocupados. ¿Cuándo quiere usted celebrar la conferencia?
CALLER:	*In November.*
JUAN COUTO:	Estamos bastante ocupados en noviembre. ¿Qué día desea?
CALLER:	*The eighth of November.*
JUAN COUTO:	Sí, para el día ocho no hay problema.

GRAMÁTICA   *vivir* – to live

vivo	*I live*	vivimos	*we live*
vives	*you live*	vivís	*you live*
vive	*he, she lives; you live*	viven	*they live; you live*

EJERCICIO 3.3

Listen to the recording of three telephone messages and note down the people's names, telephone numbers and where they live.

EJERCICIO 3.4

Choose an appropriate verb from the ones below and complete the sentences with the correct form of the verb.

1 Clarasol quiere .... la gama de productos.

2 Los cambios en los precios .... todos los años.

3 El departamento de ventas .... los precios.

4 Enrique Ortega y yo .... la oficina.

5 Yo .... al jefe de márketing.

6 La fábrica .... las aceitunas todos los días.

recibir   *to receive*
expandir   *to expand*
ocurrir   *to happen*
decidir   *to decide*
compartir   *to share*
asistir   *to help*

GRAMÁTICA   *Abrir, cerrar, abierto, cerrado*

Abrir means 'to open'. It is a regular *–ir* verb and so behaves like *vivir*.
Cerrar means to close. It is an irregular *–ar* verb. The present tense of *cerrar* is as follows:

cierro	*I close*	cerramos	*we close*
cierras	*you close*	cerráis	*you close*
cierra	*he, she closes; you close*	cierran	*they close; you close*

Abierto and *cerrado* are adjectives and mean 'open' and 'closed'. They must, therefore, agree in gender and number with the noun they describe.

las oficin**as** están abiert**as**
el restaurante está cerrad**o**

EJERCICIO 3.5

Complete the following sentence with the correct form of the verbs *abrir* and *cerrar* or with the correct form of the adjectives *abierto* and *cerrado*.

1 ¿A qué hora .... el banco? Tengo que .... una cuenta.

2 El supermercado .... a las siete de la tarde.

3 La cafetería está .... desde las dos hasta las nueve.

4 Lo siento pero estamos ....

5 Vamos a .... en agosto durante las vacaciones.

6 No puedo visitar al supermercado porque está ....

DIÁLOGO 4 — *Tiene que ayudar a Enrique Ortega*

David Hawkins tiene su entrevista con José Manuel Galán.

David Hawkins has his interview with José Manuel Galán.

 Escuche y repita:

soy el responsable de	*I'm responsible for*
debemos hablar por lo menos dos veces	*we should speak at least twice*
muchos conocimientos	*a lot of knowledge*
debo	*I should/should I?*
debe	*you should*

 Escuche el diálogo:

DAVID HAWKINS:	Buenas tardes señor Galán.
JOSÉ MANUEL GALÁN:	Buenas tardes. Bienvenido a Clarasol. ¿Qué tal?
DAVID HAWKINS:	Muy bien, gracias.
JOSÉ MANUEL GALÁN:	Soy el jefe regional de ventas pero también soy el responsable de organizar y supervisar el programa de aprendices de la empresa. Debemos hablar por lo menos dos veces al mes. Usted va a trabajar con Enrique Ortega. Enrique tiene muchos conocimientos de márketing. Puede aprender mucho.
DAVID HAWKINS:	Muchas gracias por la oportunidad. ¿A qué hora debo llegar a la oficina?
JOSÉ MANUEL GALÁN:	Debe llegar a la oficina a las nueve. ¿Qué va a hacer esta tarde?
DAVID HAWKINS:	Ahora tengo que ir a una presentación con el señor Ortega.
JOSÉ MANUEL GALÁN:	Muy bien. Hasta luego.
DAVID HAWKINS:	Hasta luego.

EJERCICIO 4.1

Match the duties in the right-hand column with the jobs in the left-hand column. Then form sentences using *tiene que*.

Ejemplo La secretaria tiene que organizar los archivadores.

la secretaria		ayudar al jefe de márketing
		contestar el teléfono
		estar atento a los cambios en el mercado
		concertar citas con los clientes
		hacer estudios de mercado
el aprendiz	tiene que	llamar a los clientes para confirmar citas con el jefe de márketing
		organizar los archivadores
		escribir cartas a los clientes
		desarollar estrategias
		mejorar el español
el jefe de márketing		organizar reuniones para los directores
		ampliar conocimientos acerca del márketing

EJERCICIO 4.2

Read the advertisements from the job section of a newspaper below. Then listen to the recordings of three people describing some of their work duties and match them to the ad for their job.

Recepcionista

Se requiere:
buena presencia experiencia

Se ofrece:
trabajo bien remunerado
ambiente de trabajo favorable

Tel: 4352807

Seguros Vigo
precisa
Jefe de Ventas

Se necesita:

conocimientos de técnicas de entrevistas y supervisión de empleados.
Buenos contactos con clientes.

Se ofrece:

condiciones económicas negociables
Calle Velázquez 8
Madrid
3386722

Grupo Ibermax
necesita
Director de Compras

Se requiere:

titulación superior y experiencia previa con proveedores en un trabajo similar

Enviar curriculum vitae al:

Apartado de correos 14.036
Madrid

GRAMÁTICA

Deber – should

The verb *deber*, like the verbs *querer* and *poder*, is often used with an infinitive. It is a regular verb and so follows the pattern of all regular *–er* verbs.

Deber is less emphatic than *tener que*, and it means 'should'.

debo llamar al médico	*I should call the doctor*
tengo que llamar al médico	*I have to call the doctor*

EJERCICIO 4.3

Fill in the gaps with the appropriate form of the verb *deber*. Check your answers by listening to the cassette.

1 La directora de personal ……… leer las solicitudes de empleo.

2 Ellos ……… utilizar un asesor de finanzas.

3 Vosotros ……… llegar al trabajo antes de las nueve.

4 ¿Yo ……… llamar a los proveedores?

5 Los directores ……… desarrollar una nueva estrategia.

6 Usted ……… consultar con el departamento de ventas.

EJERCICIO 4.4

Work in pairs. Read the description of what Juan Aguirre, a chairperson, does. Partner A should ask Partner B what the chairperson **has** to do. Partner B should then find out from Partner A what the chairperson **should** do.

presidente de la junta de directores   *chairperson of the board of directors*
propósito   *purpose*
resumir   *to sum up*
argumento   *point*
a tiempo   *in good time*

Soy Juan Aguirre. Soy el presidente de la junta de directores de Aviako. Tengo que mantener el control en las reuniones y debo comprender el propósito de la reunión. Tengo que leer los documentos relevantes. Debo escuchar a las personas y debo resumir los argumentos principales de la reunión. Tengo que concluir la reunión a tiempo.

GRAMÁTICA

Pronunciación

Here are some guidelines to help you pronounce some of the more difficult letters in Spanish. All the examples have been recorded on the cassette.

c   The letter *c* can sound hard or soft depending on the vowel that follows it:

hard	**soft**
cuerpo *body*	centro *centre*
contacto *contact*	cielo *sky*
camino *road*	

It is always hard when followed by a consonant other than *h*.

d   When a word ends in *d* it sounds like a soft *c*

>   Madrid
>   El Cid

g   This, like *c*, is either hard or soft depending on the vowel that follows it:

hard		**soft**	
gota	*drop*	girar	*to turn*
gato	*cat*	gente	*people*

If *g* is followed by *ue* or *ui*, it is hard but the *u* is not pronounced.

>   guerra   *war*
>   guiar   *to guide*

h   This is never pronounced unless it is preceded by *c*.

>   hola   *hello*
>   alcohol   *alcohol*
>   chocolate   *chocolate*

j   This is always pronounced like the Scottish 'ch' as in 'loch'.

>   cojín   *cushion*
>   pareja   *couple*
>   julio   *July*

ll   This is pronounced like the 'y' in 'yesterday'.

>   caballo   *horse*
>   llegar   *to arrive*

v   This sounds very similar to *b*.

>   ventas   *sales*
>   conveniente   *convenient*

y   This is pronounced like 'ee' in 'cheese' if it ends a word:

>   hoy   *today*

and like the 'y' in 'young' if it begins a word or is in the middle of a word.

>   yo   *I*
>   mayo   *May*

z   This is pronounced like the 'th' in 'thought'.

>   zapatos   *shoes*
>   cazar   *to hunt*
>   Cádiz   (*a city in Southern Spain*)

EJERCICIO 4.5

Try pronouncing the following words then check your pronunciation on the cassette.

caramelo	cinta	humanidad	gastar	Guinea	gerente	ahora	junio
consejo	millón	viajar	rey	reyes	zurdo	nariz	

REPASO

REPASO 1

Listen to the dialogue of two people ordering a meal. Tick the items that they choose.

Customer A   Customer B

Epárragos con mahonesa
Entremeses variados
Sopa de tomate

Pulpo a la gallega
Tortilla española
Bacalao a la vizcaína con patatas

Vino tinto
Vino blanco
Agua mineral con gas
Agua mineral sin gas

REPASO 2

Read the following paragraph about Isabel Alonso and decide whether the statements below are true or false.

Isabel Alonso trabaja en el departamento de personal. En el departamento están muy ocupados porque tienen que tratar con los empleados en Vigo y en la fábrica de Sevilla. También tiene que supervisar la oficina de Madrid. Isabel va a Vigo mañana para resolver varios problemas y para participar en una entrevista. La entrevista debe terminar a las cuatro y ella va a volver a Madrid en tren. Puede pasar la noche en Vigo en un hotel pero quiere volver porque tiene mucho que hacer en Madrid.

Verdadero   Falso

1 Isabel Alonso no está ocupada.

2 Tiene que tratar con las dos oficinas de Clarasol y con la fábrica en Sevilla.

3 Va a Vigo para participar en una entrevista.

4 Después, va a la fábrica para resolver varios problemas.

5 Isabel Alonso quiere volver en tren a Madrid después de las cuatro.

6 Tiene que pasar la noche en un hotel en Vigo.

REPASO 3

Rearrange the jumbled sentences below.

el número	organizar	debe
cuál	de conferencias	de personal
de Bidicom	no pueden	las entrevistas
es	una reunión	el director
de teléfono	están ocupadas	organizar
¿?	porque las salas	

REPASO 4

Partner A Telephone your partner and arrange a meeting for sometime after three o'clock tomorrow afternoon.

Partner B Your partner is going to telephone to arrange a meeting for tomorrow. Make sure that you know the time and the place of the meeting and explain that you have to return to the office at five o'clock.

REPASO 5

Dialogue build.

Partner A   **Partner B**

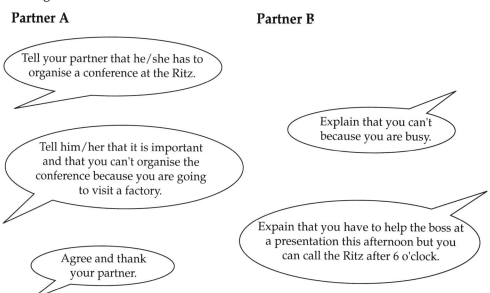

Por último

Before moving on to the next chapter, make sure you know:

• how to make and understand telephone calls	*sí, dígame*
• how to confirm arrangements	*llamo para confirmar nuestra cita*
• how to order food in a cafeteria	*de primero quiero judías con jamón*
• how to understand what is expected of you	*tiene que ayudar a Enrique Ortega*
• the verbs *poder* and *querer*	
• *ir + a + infinitivo*	*voy a llamar al hotel*
• some *–ir* verbs	*vivir*
• the verbs *abrir* and *cerrar* and the adjectives *abierto* and *cerrado*	
• the verb *deber*	
• numbers to 100	*cuarenta y nueve*
• the pronunciation of some difficult letters	*caballo/cazar*

CAPÍTULO CINCO

La presentación

In this chapter you will learn how to:
- introduce yourself and your colleagues in a formal situation
- introduce and conclude a presentation
- answer questions about a project
- express opinions and give reasons
- order supplies

DIÁLOGO 1 *Creemos que su compañía es la ideal*

Enrique Ortega y David Hawkins se presentan a los distribuidores sudamericanos.

Enrique Ortega and David Hawkins introduce themselves to the South American distributors.

Escuche y repita:

permítanme que me presente	*allow me to introduce myself*
nuestra directora financiera	*our financial director*
mucho gusto	*delighted/pleased to meet you*
igualmente	*me too*
mi ayudante	*my assistant*
creemos que su compañía	*we believe that your company*
esta operación	*this operation*
la viabilidad del proyecto	*the feasibility of the project*

Escuche el diálogo:

ENRIQUE ORTEGA: Hola. Permítanme que me presente, Enrique Ortega.

AURELIANO GÓMEZ: Buenas tardes. Soy Aureliano Gómez, director comercial de Importadora Venezolana SA. Ésta es la señorita Elsa Touza, nuestra directora financiera.

ELSA TOUZA: Encantada.

ENRIQUE ORTEGA: Mucho gusto.

AURELIANO GÓMEZ: Y ésta es la señora Eva Capelli, jefa de estudios y proyectos de nuestra compañía.

ENRIQUE ORTEGA: Encantado.

EVA CAPELLI: Igualmente.

ENRIQUE ORTEGA: Yo soy Enrique Ortega, el director de márketing de Clarasol y éste es David Hawkins, mi ayudante.

DAVID HAWKINS: Mucho gusto.

ENRIQUE ORTEGA: Nuestra compañía, Clarasol, quiere exportar nuestra nueva gama de aceites de oliva a su país y a toda Sudamérica. Creemos que su compañía puede realizar esta operación. El propósito de la reunión es presentar los productos y discutir con ustedes la viabilidad del proyecto.

EJERCICIO 1.1

Select one of the people on the business cards and a purpose from below and practise introducing yourself to a group of people and explaining the purpose of the meeting.

Ejemplo Buenes tardes. Permítanme que me presente. Soy Luis Villaverde, el jefe de compras de Deportivo Internacional. El propósito de la reunión es explorar una idea con ustedes.

explorar una idea con ustedes	*to explore an idea with you*
investigar posibles colaboraciones	*to investigate possible collaborations*
discutir la proposición del gobierno	*to discuss the government's proposition*
explicar el nuevo plan de estudios	*to explain the new course plan*

Luis Villaverde

Jefe de
Compras de
Deportivo
Internacional

Roberto Ramírez

Jefe de Personal de la
Universidad Autónoma
de Madrid

Sara
Ramírez

Contable en la compañía de contabilidad,
Álvarez y Ramírez

Manolo Fontalba Moreno

Líder sindical
UGT
(Unión General de
Trabajadores)

EJERCICIO 1.2

Listen to the conversation on your cassette and note down the names and occupations of the three people involved and the reason for their meeting.

GRAMÁTICA   *Adjetivos posesivos*

Possessive adjectives are words like 'my', 'your', 'his' etc. They are placed before the noun. Like all adjectives they must agree with the noun they describe. However, only the plurals 'our' and 'your' have feminine forms.

mi/mis	*my*	nuestro/nuestra/nuestros/nuestras	*our*
tu/tus	*your*	vuestro/vuestra/vuestros/vuestras	*your*
su/sus	*his/her; your*	su/sus	*their; your*

mi compañía	*my company*
mis conocimientos	*my expertise*
nuestra oficina	*our office*
nuestros despachos	*our offices*

EJERCICIO 1.3

Change the possessive adjectives in English into Spanish remembering to make them agree with the noun they describe.

Ejemplo   Quiero estudiar japonés para ampliar (*my*) conocimientos de idiomas.
Quiero estudiar japonés para ampliar **mis** conocimientos de idiomas.

1 ¿Usted puede llamar a (*our*) clientes?

2 Clarasol exporta a todo el mundo y (*their*) productos son famosos.

3 Hola David. ¿Qué tal (*your/informal*) fin de semana?

4 Buenos días señor Hawkins. ¿Aquí esta (*your/formal*) escritorio?

5 Enrique Ortega y David Hawkins van al bar y celebran (*their*) éxito.

6 Vosotros no podéis cambiar (*your*) citas.

EJERCICIO 1.4

Listen to the cassette and repeat the sentences, changing the part in italics according to the whispered prompt. Don't forget to amend the verb form if necessary.

Ejemplo   Escuche: *Mi compañía* quiere estudiar el mercado de China.
(*nuestros directores*)
Responda: Nuestros directores quieren estudiar el mercado de China.

1 *Mi compañía* quiere estudiar el mercado de China.

2 *Vuestra idea* es muy interesante.

3 *Nuestra oficina* tiene dos fotocopiadoras.

4 Ustedes pueden consultar con *su directora financiera*.

5 Usted tiene que llamar a *su jefa*.

6 Hola. Tus documentos están en *tu oficina*.

EJERCICIO 1.5

Read the following paragraph using the glossary and then answer the questions in Spanish.

En el otoño Clarasol prepara sus productos para la Navidad. El mercado de Navidad es importante porque la gente compra los mejores productos y gasta más dinero. Es importante prestar especial atención a la promoción y la presentación de los productos. Clarasol utiliza una botella fina de cristal, decorada con una cinta dorada. Pero es difícil mantener el mercado porque hay mucha competencia en Europa. Los italinaos, israelíes y griegos también venden sus aceites en los países del norte. El mercado nacional es esencial. Los españoles consumen mucho aceite de oliva y pagan mucho dinero por un aceite de buena calidad. Clarasol inicia la promoción de sus productos en octubre y, en noviembre, intensifica la campaña en televisión.

1 ¿Cuándo prepara Clarasol sus productos para la Navidad?

2 ¿Por qué es importante el mercado de Navidad?

3 ¿Qué tipo de botella utiliza Clarasol para la Navidad?

4 ¿Por qué es difícil mantener el mercado de Navidad?

5 ¿Qué países venden aceite en el norte de Europa?

6 ¿Cuándo inicia Clarasol la promoción de sus productos de Navidad?

DIÁLOGO 2   *Primero voy a presentar nuestros productos*

Enrique Ortega inicia la presentación.

Enrique Ortega starts the presentation.

 Escuche y repita:

de principio a fin	*from beginning to end*
luego	*after/later*
cuál es	*what is*
creo que	*I believe/ I think*
todavía	*still*
la etapa inicial	*the initial stage*

Escuche el diálogo:

ENRIQUE ORTEGA:	Primero, voy a presentar nuestros productos y explicar su elaboración de principio a fin. Luego voy a describir cuál es nuestro mercado actual. Después, voy a hablar del proyecto de exportación a Sudamérica con Venezuela como centro de operaciones.
ELSA TOUZA:	También creo que debemos discutir los precios de compra y venta.
ENRIQUE ORTEGA:	Desde luego, pero antes tenemos que intercambiar ideas acerca del potencial del mercado sudamericano. Es necesario hacer un análisis profundo antes de hablar de precios.
AURELIANO GÓMEZ:	Entonces no tienen una idea aproximada de los precios.
ENRIQUE ORTEGA:	No. Estamos todavía en la etapa inicial del proyecto.

EJERCICIO 2.1

You are going to give a presentation about your company's plans to expand. Introduce yourself and organise the sentences below to introduce your presentation. Use the words in the box to help you.

Ejemplo: Buenos días señores. Soy Madelaine Taylor y voy a hablar acerca de nuestros proyectos de expansión. Primero, voy a . . .

presentar varios de nuestros productos
explicar cómo vamos a organizar la campaña de publicidad
hablar acerca de nuestros proyectos de expansión
describir cuál es nuestra situación actual
discutir con ustedes los precios de compra y venta
resumir las cinco etapas iniciales

> primero   después   entonces   luego   finalmente

EJERCICIO 2.2

Listen to the sentences on the cassette, choose an appropriate response from the box overleaf and use it with *creo que primero*.

Ejemplo   Escuche: Voy a preparar las invitaciones para la reunión.
             Responda: Creo que primero debes preparar la agenda de la reunión.

1 Voy a preparar las invitaciones para la reunión.

2 Vamos a discutir el mercado internacional.

3 Ellos van a consultar con la policía.

4 ¿Usted va a visitar compañías extranjeras?

5 Vais a organizar una conferencia. ¿No?

6 El departamento de ventas va a hablar con los clientes.

> deben consultar con sus abogados
> debe hablar con sus representantes
> debemos discutir cuál es nuestro mercado nacional
> debemos organizar una reunión
> debes preparar la agenda de la reunión
> debo visitar las compañías nacionales

EJERCICIO 2.3

The two set of sentences below are in the wrong order. The first set is an example of a typical introduction to a presentation, and the second is a typical conclusion. Reorder the sentences and then listen to the cassette to check your answers.

☐ esta tarde voy a hablar de los servicios que ofrecemos
☐ muchas gracias por estar aquí hoy
☐ y explicar en detalle cómo pueden ustedes participar en el proyecto
☐ soy Rupert Jones, director de márketing de Index desde 1988
☐ buenas tardes y bienvenidos

☐ la comunicación entre las empresas es muy importante
☐ en la sala Cohen hay vino y entremeses para todos
☐ en conclusión creo que
☐ y nosotros facilitamos esta comunicación
☐ bueno, para terminar
☐ nuestros servicios son una ventaja para las empresas
☐ quiero dar a ustedes las gracias por su atención

GRAMÁTICA

Que

Que means 'that', 'who' or 'which'. It is not always necessary to translate it in English.

la reunión que voy a organizar	*the meeting (that) I'm going to organise*
las cifras que vamos a leer	*the figures (which) we are going to read*

NOTAS

The question word *qué* has an accent to distinguish it from *que* above.

EJERCICIO 2.4

Join the two parts of the sentences together using *que*.

Ejemplo   Los servicios que están al lado de la cafetería.

los servicios		es de Segovia
el problema		estudian márketing
los aprendices	que	está en la planta baja
la directora		vamos a resolver
los distribuidores		están al lado de la cafetería
la cafetería		visitan a Clarasol

GRAMÁTICA   *Comparativos*

Comparatives can be made by using *más* + *adjetivo* + *que* to say that something is 'more' than something else.

la oficina es pequeña	*the office is small*
la oficina es **más pequeña que** la cafetería	*the office is **smaller** than the cafeteria*

You can also use *menos* + *adjetivo* + *que* to say that something is 'less' than something else.

el márketing es importante	*marketing is important*
el márketing es **menos importante que** el producto	*marketing is **less important** than the product*

Remember the adjective must always agree with the noun.

la situación en Portugal es menos complicada que la situación en Japón

---

EJERCICIO 2.5

Make comparisons between the following groups of nouns using the adjectives in parenthesis.

1 Estados Unidos   España (poderoso   *powerful*)
2 La libra   la lira (estable   *stable*)
3 Soberanía nacional   unión europea (importante)
4 Sector industrial   sector de servicios (grande)
5 La política   la economía (interesante)

EJERCICIO 2.6

Look at the illustrations overleaf and answer the questions.

Ejemplo   ¿En el sur de Italia hay más industria que en el norte de Italia?
              No. En el norte de Italia hay más industria que en el sur.

1 ¿En el sur de Italia hay más industria que en el norte de Italia?
2 ¿La industria de automóviles es más próspera ahora que en 1987?
3 ¿La recesión en Hong Kong es más profunda que en Europa?
4 ¿Los políticos son más populares después de las elecciones que antes de las elecciones?
5 ¿El flete es más caro por barco que por avión?
6 ¿El tranvía es más rápido que el tren?

DIÁLOGO 3   *También existe mucha cooperación*

Los distribuidores sudamericanos discuten el proyecto con Enrique Ortega y
David Hawkins.

*The South American distributors discuss the project with Enrique Ortega and David
Hawkins.*

 Escuche y repita:

en mi opinión . . .	*in my opinion . . .*
llevar a cabo	*to carry out*
porque los aranceles	*because the tariffs*
gracias a los nuevos acuerdos políticos	*thanks to the new political agreements*
¿cuál es su mayor preocupación?	*what's your biggest worry?*
sinceramente, creo que	*I sincerely think that*
en este caso	*in this case*
¿verdad David?	*isn't that right, David?*

 Escuche el diálogo:

EVA CAPELLI:	En mi opinión, la idea es buena y creo que es el momento perfecto para llevar a cabo la operación.
ELSA TOUZA:	¿Por qué?
EVA CAPELLI:	Porque los aranceles son bastante bajos en toda Sudamérica.
ENRIQUE ORTEGA:	También existe mucha cooperación entre España y Sudamérica, gracias a los nuevos acuerdos políticos.

> AURELIANO GÓMEZ: ¿Cuál es su mayor preocupación en este proyecto?
> ENRIQUE ORTEGA: Sinceramente, creo que penetrar en un mercado es difícil. La promoción en este caso es especialmente importante ¡Pero no es imposible! Nuestros productos son muy populares en Inglaterra que es un mercado más difícil. ¿Verdad David?
> DAVID HAWKINS: Sí, Clarasol es muy popular en Inglaterra. La campaña publicitaria es muy eficaz.

EJERCICIO 3.1

Listen to the dialogue of two people giving their opinions about a project and tick the appropriate column.

dudas   *doubts*

	thinks it's a good idea	has some doubts	thinks it's a bad idea
Señor			
Señora			

EJERCICIO 3.2

Listen to the questions on the cassette and choose an appropriate answer from those below.

Ejemplo   Escuche: ¿Usted está de acuerdo?
Responda: No estoy de acuerdo porque tengo dudas.

a creo que la proposición tiene posibilidades

b en mi opinión, no es posible

c el mayor problema es transportar los productos

d no estoy de acuerdo porque tengo dudas

EJERCICIO 3.3

Write answers to the following questions about *Diálogo 3*. Then listen to the cassette and repeat your answers after the questions.

Ejemplo: ¿Por qué cree Eva Capelli que es una idea buena?
Cree que es una idea buena porque los arancles son bastante bajos en toda Sudamérica.

1 ¿Por qué cree Eva Capelli que es una idea buena?

2 ¿Cómo son los aranceles?

3 ¿Por qué existe cooperación entre España y Sudamérica?

4 ¿Cuál es la mayor preocupación de Enrique Ortega acerca del proyecto?

5 ¿Los productos de Clarasol son populares en Inglaterra?

EJERCICIO 3.4

Work in pairs. Using the vocabulary and expressions from the dialogue prepare a conversation.

Partner A   Think of a decision you must make soon and prepare to answer some questions about it.

Partner B   Your partner has to make a big decision soon. Ask him or her some questions about this decision following the structure below.

1 ¿Qué tiene que hacer?

2 ¿Por qué . . . ?

3 ¿Cuándo . . . ?

4 ¿Cuál es su mayor preocupación . . . ?

GRAMÁTICA   *Adverbios*

In Spanish most adverbs are easy to recognise as they usually end in *mente*, just in the way English adverbs usually end in 'ly'. They usually come after the verb that they modify:

la secretaria compra normalmente   *the secretary normally buys the stationery*
   los artículos de escritorio

but before the adjective that they modify:

el plan es realmente complicado   *the plan is really complicated*

Here are some common Spanish adverbs:

constantamente	*constantly*	rápidamente	*quickly*
normalmente	*normally*	lentamente	*slowly*
frecuentemente	*frequently/often*	verdaderamente	*truly*
a veces	*sometimes*	realmente	*really*
sinceremente	*sincerely*	francamente	*frankly*

EJERCICIO 3.5

Listen to the sentences on the cassette and repeat them adding an adverb, according to the whispered prompt. The arrows indicate where the adverb should go.

Ejemplo   Escuche: Manuel trabaja⁻. (*constantamente*)
              Responda: Manuel trabaja constantamente.

1 Manuel trabaja.

2 Clarasol prepara⁻ un nuevo producto.

3 José Manuel Galán visita⁻ la oficina en Vigo.

4 Creo que el proyecto es⁻ fascinante.

5 David Hawkins no comprende el español.

6 El departamento de ventas desarrolla la estrategia.

EJERCICIO 3.6

How would you say the following in English?

1 La idea es francamente buena.

2 El despacho abre normalmente a las ocho de la mañana.

3 Debemos discutir frequentamente las etapas iniciales.

4 Pienso sinceramente que su compañía puede llevar a cabo la distribución.

5 En mi opinión, los distribuidores quieren vender rápidamente los productos.

6 Es verdaderamente importante mantener contacto constante con los clientes.

EJERCICIO 3.7

Work in pairs. Read the prompts below and carry out the dialogue. Then listen to the dialogue on the cassette.

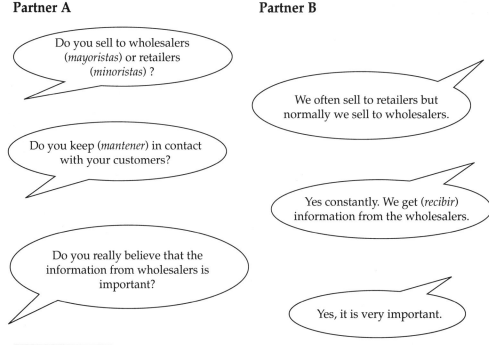

Partner A

Do you sell to wholesalers (*mayoristas*) or retailers (*minoristas*) ?

Do you keep (*mantener*) in contact with your customers?

Do you really believe that the information from wholesalers is important?

Partner B

We often sell to retailers but normally we sell to wholesalers.

Yes constantly. We get (*recibir*) information from the wholesalers.

Yes, it is very important.

EJERCICIO 3.8

Label the various parts of the letter opposite using the words in the box and the glossary.

artículos de escritorio   *stationery*

sobre   membrete   firma   fecha   dirección del destinatario   papel de carta

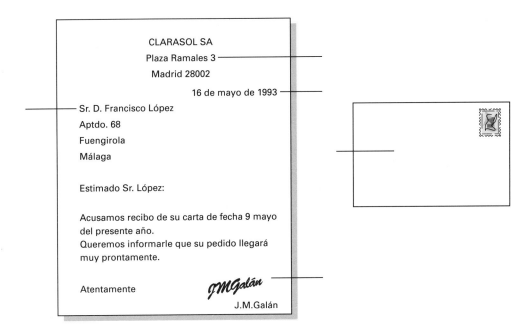

CLARASOL SA
Plaza Ramales 3
Madrid 28002
16 de mayo de 1993

Sr. D. Francisco López
Aptdo. 68
Fuengirola
Málaga

Estimado Sr. López:

Acusamos recibo de su carta de fecha 9 mayo
del presente año.
Queremos informarle que su pedido llegará
muy prontamente.

Atentamente

JMGalán
J.M.Galán

DIÁLOGO 4 · *Es un incompetente*

Carmen Bravo llama a un proveedor para hacer un pedido.

Carmen Bravo calls a supplier to make an order.

Escuche y repita:

cajas de papel cuadriculado	*boxes of graph paper*
¿cómo que no tienen?	*what do you mean you don't have them?*
facturas	*bills*
oiga	*listen (formal)*
sin falta	*without fail*
es un incompetente	*he's useless*
pase	*go on in (formal)*

Escuche el diálogo:

CARMEN BRAVO:	Soy Carmen Bravo de Clarasol. Quiero hacer un pedido. Mire, necesito siete cajas de papel cuadriculado, doce cajas de papel de carta con el membrete de la compañía y con sobres. También quiero ocho cajas de facturas, por favor. ¿Cómo que no tienen? Oiga, yo necesito inmediatamente las facturas. No, no puedo esperar dos semanas. Bueno, vale, vale, el viernes sin falta.
ENRIQUE ORTEGA:	Hola ¿Tiene problemas?
CARMEN BRAVO:	Es el suplidor. ¡Es un incompetente! No tiene facturas. ¿Qué tal la reunión?
ENRIQUE ORTEGA:	Muy bien. ¿Está el señor Galán? Tengo que hablar con él.
CARMEN BRAVO:	Sí. Está en su despacho. Pase.

EJERCICIO 4.1

Listen to three people ordering some stationery and write down in the grid how much they order of each item.

	sobres	facturas	papel
caller 1			
caller 2			
caller 3			

EJERCICIO 4.2

Listen to the person asking you about what items of stationery you need and answer according to the whispered prompts.

Ejemplo   Escuche: ¿Necesita papel de cartas? (*treinta y dos*)
Responda: Sí, necesito treinta y dos cajas de papel de cartas.

1 ¿Necesita papel de cartas?

2 ¿Necesita sobres?

3 ¿Necesita facturas?

4 ¿Necesita papel cuadriculado?

5 ¿Necesita papel con membrete?

GRAMÁTICA   *Superlativos*

In Spanish the superlative is formed by using *el/la* + (noun) + *más* or *menos* + adjective

El *Financial Times* es el periódico   *The* Financial Times *is the most*
    más interesante   *interesting newspaper*

The noun (periódico) is optional. You can also say:

el *Financial Times* es el más interesante

When you want to say that two things are the same you can use *tan* + adjective + *como*.

el cine es tan popular como el teatro   *the cinema is as popular as the theatre*

EJERCICIO 4.3

Compare the nouns below using the adjectives in brackets. You may need to use the glossary.

Ejemplo   La lira es la moneda menos estable de Europa.

moneda: el marco   la lira   la peseta   (estable)

forma de pago: el cheque   la tarjeta de crédito   el papel moneda
    (conveniente)

político: Churchill   De Gaulle   Roosevelt   (importante)

problema: la inflaciónel parola corrupción   (grave)

sector: el sector industrial   el sector de servicios   el sector agrícola
    (próspero)

asignatura: la economía   el márketing   la contabilidad   (interesante)

EJERCICIO 4.4

Work in pairs. Use the sentences that you wrote in the last exercise to ask each other questions.

Ejemplo   Partner A: ¿Cuál es la moneda menos estable de Europa?
                Partner B: La Lira es la moneda menos estable de Europa.

REPASO

 ## REPASO 1

Listen to someone giving her opinion about a project. Tick any of the sentences below which you hear in Spanish on the cassette.

1 I truly believe that the proposition is a viable one.

2 I sincerely think that the idea is a viable one.

3 You should carry out some market research.

4 Normally we don't use an advertising agency.

5 Normally we use an advertising agency.

6 Our companies can organise a campaign.

7 Our companies should organise a campaign.

8 At this time of year people spend more.

REPASO 2

Read the passage overleaf and say whether the statements are true or false.

La calidad del aceite es muy importante. Tenemos una sección grande del mercado de España y queremos mantener y aumentar el número de nuestros clientes. Hablamos constantemente con los distribuidores para escuchar sus opiniones y consejos. Creemos que la relación con los distribuidores es el aspecto más importante de nuestro negocio.

	Verdadero	Falso

1 No tienen un mercado grande.

2 Quieren expandir su sección del mercado.

3 La relación con los clientes es menos importante que la relación con los distribuidores.

4 Consultan frecuentemente con los distribuidores.

5 No escuchan los consejos de los distribuidores.

REPASO 3

Rearrange the jumbled sentences.

es	el mercado de China	el más grande
importante	más complicado	de la
una asignatura	en mi opinión es	es
la economía	el mercado de Perú que	nuestro departamento compañía

REPASO 4

Use the prompts below to complete the conversation. Then listen to the cassette and play the part of María Izquierdo.

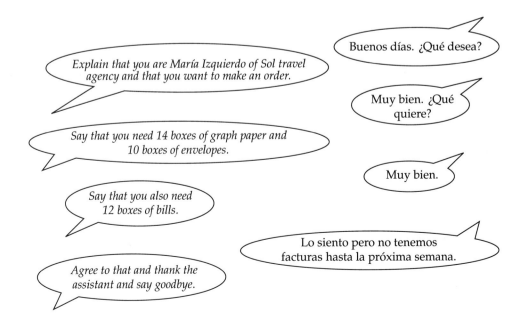

Explain that you are María Izquierdo of Sol travel agency and that you want to make an order.

Buenos días. ¿Qué desea?

Say that you need 14 boxes of graph paper and 10 boxes of envelopes.

Muy bien. ¿Qué quiere?

Say that you also need 12 boxes of bills.

Muy bien.

Lo siento pero no tenemos facturas hasta la próxima semana.

Agree to that and thank the assistant and say goodbye.

REPASO 5

Listen to the recording of someone expressing his opinion at a meeting and fill in the gaps.

.... voy a .... con ustedes la situación del .... actual. Nuestras últimas cifras indican que el mercado mundial .... en muy malas condiciones. La reducción .... demanda en .... es grave. Pero, ... de China y Japón .... bastante estables. .... debemos cambiar .... estrategia y realizar .... profundos .... localizar .... antes de .... a una decisión final.

Por último

Before moving on to the next chapter, make sure you are clear about:

• introducing and concluding presentations	*primero voy a explicar* *en conclusión creo que*
• expressing opinions	*en mi opinión* *creo que*
• dealing with and asking questions	*¿cuál es su mayor preocupación?*
• making orders and dealing with problems	*¿cómo que no tienen?* *necesito esas facturas* *inmediatamente*
• possessive adjectives	*nuestro cliente*
• que	*el problema que vamos a resolver*
• comparatives and superlatives	*es más pequeña que* *es la más pequeña*
• adverbs	*rápidamente*

CAPÍTULO SEIS

Actividades fuera de la oficina

In this chapter you will learn about:
- making travel arrangements
- filling in forms
- shopping
- socialising

DIÁLOGO 1 *Necesito reservar un billete*

Enrique Ortega llama a una agencia de viajes.

Enrique Ortega calls a travel agency.

 Escuche y repita:

un billete de avión	*a plane ticket*
para Roma desde Madrid	*to Rome from Madrid*
vuelo	*flight*
prefiero	*I'd prefer*
sale de Madrid	*it leaves Madrid*
el vuelo de vuelta	*the return flight*
con baño	*with a bathroom en suite*

Escuche el diálogo:

AGENCIA DE VIAJES: Agencia de viajes Darío, ¿dígame?

ENRIQUE ORTEGA: Buenas tardes. Necesito reservar un billete de avión para Roma desde Madrid.

AGENCIA DE VIAJES: Y ¿cuándo desea viajar?

ENRIQUE ORTEGA: El próximo miércoles. Voy estar en Roma hasta el viernes.

AGENCIA DE VIAJES: Pues, hay dos vuelos. Uno por la mañana en Iberia y otro por la tarde en Alitalia.

ENRIQUE ORTEGA: Prefiero por la mañana.

AGENCIA DE VIAJES: Pues, sale de Madrid a las diez y media y llega a Roma a las doce y media. El vuelo de vuelta sale de Roma a las once y llega a Madrid a la una y cuarto.

ENRIQUE ORTEGA: Y ¿cuál es el precio?

AGENCIA DE VIAJES: Son veinte mil pesetas.

ENRIQUE ORTEGA: Puede reservar una habitación con baño en el hotel Tumino, por favor? Mi nombre es Enrique Ortega.

NOTAS

Veinte mil pesetas. Thousands are marked using a full stop in Spanish.

20.000 = *20,000*

A comma is used as a decimal point.

1,25 = *1.25*

EJERCICIO 1.1

Listen to someone making a travel booking and tick the appropriate boxes.

Name		Destination		Wants to go		Price		Departure time		Lives in	
Pedro Gómez	☐	Holland	☐	night	☐	28.000	☐	15:30	☐	Madrid	☐
Pedro López	☐	Palermo	☐	afternoon	☐	30.000	☐	19:00	☐	Alicante	☐
Pedro Pardo	☑	Brussels	☐	morning	☐	12.000	☐	17:00	☐	Burgos	☐

EJERCICIO 1.2

a Match the words in the vocabulary box to the English organigram. You may need to use the glossary.

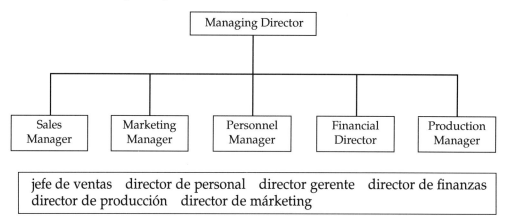

```
                        Managing Director
```

| Sales Manager | Marketing Manager | Personnel Manager | Financial Director | Production Manager |

> jefe de ventas   director de personal   director gerente   director de finanzas
> director de producción   director de márketing

b Match the words in the vocabulary box below to the Spanish organigram of a personnel department. You may need to use the glossary.

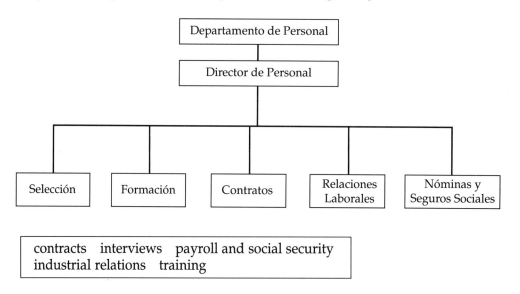

```
                    Departamento de Personal

                      Director de Personal
```

| Selección | Formación | Contratos | Relaciones Laborales | Nóminas y Seguros Sociales |

> contracts   interviews   payroll and social security
> industrial relations   training

GRAMÁTICA   *Adjetivos demonstrativos*

Este 'this', *ese* 'that' and *aquel* 'that over there' are demonstrative adjectives.
Aquel is an equivalent to the English 'yonder' meaning 'distant'. Here are the different forms:

m sing	este	*this*	ese	*that*	aquel	*that*
f sing	esta	*this*	esa	*that*	aquella	*that*
m pl	estos	*these*	esos	*those*	aquellos	*those*
f pl	estas	*these*	esas	*those*	aquellas	*those*

este banco es muy grande	*this bank is very big*
aquellas fábricas son eficientes	*those factories are efficient*
ese señor es el director	*that man is the director*

Este is often used with *aquí*, *ese* with *ahí* and *aquel* with *allí*.

EJERCICIO 1.3

Describe the illustrations below from Enrique Ortega's point of view using the appropriate demonstrative adjective and noun.

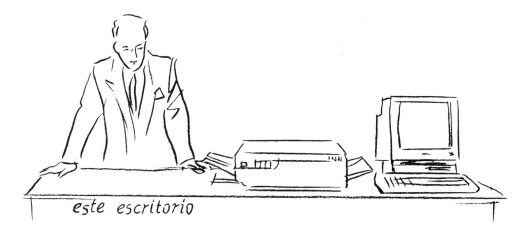

este escritorio

GRAMÁTICA	*Conjunciones*

Conjunctions join two sentences or two parts of a sentence.

no estamos de acuerdo en este aspecto **pero** en general no tenemos problemas	*we don't agree on this point **but** in general we don't have any problems*

Here are some common conjunctions:

y	*and*	no obstante	*nevertheless*
pero	*but*	aunque	*although/even though*
porque	*because*	sin embargo	*however*
además	*further*		

EJERCICIO 1.4

Pick out the most appropriate conjunction:

1 Vamos a desarrollar una nueva estrategia { aunque / además / y } no tenemos los resultados de los estudios de mercado.

2 Debemos comprar este escritorio { porque / y / aunque } aquella silla.

3 Tengo dudas acerca del proyecto { pero / y / porque } creo que es viable.

4 En mi opinión, los impuestos no son un problema { no obstante / además / porque } hay mucha cooperación entre los países { sin embargo / y / pero } los políticos van a eliminar los **aranceles.**

5 Yo estoy de acuerdo con todas las proposiciones { porque / pero / además } tengo que **convencer a mis jefes.**

6 Puedo ver todas las posibilidades { porque / no obstante / además } no puedo eligir entre ellas.

EJERCICIO 1.5

Use a conjunction and a sentence from these below to complete the sentences on the cassette.

Ejemplo   Escuche: el mercado de China es difícil . . .
Responda: . . . pero no es imposible.

a . . . aunque existe oposición en Inglaterra.

b . . . pero no es imposible.

c . . . pero antes necesita llevar a cabo estudios de mercado.

d . . . sin embargo puede competir en muchos aspectos con los países del norte.

e . . . porque mi compañía va a comprar una fábrica en Hamburgo.

f . . . porque son más eficientes.

DIÁLOGO 2 ¿Puedes rellenar este formulario?

David Hawkins rellena un formulario.

David Hawkins fills in a form.

Escuche y repita:

¿te marchas?	*are you going?*
pronto	*soon*
alquilo un apartamento	*I rent an apartment*
¿te gusta el cine?	*do you like the cinema?*
¿te apetece . . . ?	*would you like to . . . ?*

Escuche el diálogo:

CARMEN BRAVO: Hola David. ¿Te marchas?
DAVID HAWKINS: Sí, pronto. Tengo que comprar varias cosas.
CARMEN BRAVO: ¿Puedes rellenar este formulario, por favor?
DAVID HAWKINS: Desde luego. ¿Qué es?
CARMEN BRAVO: Es para la seguridad social. ¿Vives en el centro de Madrid?
DAVID HAWKINS: No. Alquilo un apartamento en la Avenida del Mediterráneo.
CARMEN BRAVO: Mi amiga Paloma vive ahí también.
DAVID HAWKINS: Carmen, ¿te gusta el cine?
CARMEN BRAVO: Sí.
DAVID HAWKINS: ¿Te apetece ir al cine esta noche?
CARMEN BRAVO: Sí. ¿A qué hora?
DAVID HAWKINS: A las ocho y media, ¿de acuerdo?
CARMEN BRAVO: De acuerdo.

NOTAS

¿Te apetece? is only used for informal invitations. *Quiero invitarle* 'I would like to invite you' (sg) and *quiero invitarles* 'I would like to invite you' (pl) are used for formal situations.

EJERCICIO 2.1

Listen to the recording of two people making invitations and tick the sentences you hear.

1 ¿Quieres cenar esta noche?

2 ¿Te apetece cenar esta noche?

3 Pues sí, mañana no hay problema.

4 A las nueve y media, de acuerdo.

5 A las nueve y media, vale.

6 La compañía va a celebrar una reunión.

7 La compañía va a celebrar su aniversario.

8 Quiero invitarle a cenar con nosotros.

9 ¿Te apetece cenar con nosotros?

10 El día doce de noviembre.

11 El día dos de noviembre.

EJERCICIO 2.2

Match the invitation with the response.

1 Lo siento, esta noche no puedo.

2 Lo siento. Tenemos una reunión ahora.

3 Lo siento. Tengo que trabajar el próximo fin de semana.

4 Lo siento pero tengo otra cita a las dos.

5 Lo siento mañana viajamos a Amsterdam.

6 Lo siento, pero la próxima semana no podemos.

a ¿Queréis finalizar los detalles mañana?

b ¿Quiero invitarle a visitar la fábrica el próximo sábado?

c ¿Te apetece ir al teatro esta noche?

d ¿Quiero invitarles a participar en una reunión el próximo jueves?

e ¿Queréis revisar los resultados?

f ¿Te apetece comer en la cafetería?

EJERCICIO 2.3

Write down suitable ways of inviting the following people to a meal. Then listen to the cassette to hear some samples. Use *cenar* 'to have dinner' and *a una cena* 'to an evening meal'.

1 Sr. Moreno y Srta. Vegara

2 Su amigo Juan

3 El director de ventas, José María Llamas

4 Isabel

5 Los distribuidores de Venezuela

6 La presidenta de la junta de directores, Paloma Romero

EJERCICIO 2.4

Listen to the recording and complete the form.

Apellidos:	Martínez Oca ☐	Martín Rico ☐	
Nombre:	Alberto ☐	Alfredo ☐	Alfonso ☐
Nacionalidad:	Belga ☐	Francesa ☐	Española ☐
Natural de:	Córdoba ☐	Cartagena ☐	Cáceres ☐
Provincia:	La Coruña ☐	Cáceres ☐	Cádiz ☐
Estado civil:	Casado ☐	Soltero ☐	
Hijos:	1 ☐ 2 ☐	3 ☐ 4 ☐	
Domicilio:	Calle san Bernardo no 24 ☐		
	Calle General Pardiãs no 24 ☐		
Población:	Málaga ☐	Mérida ☐	Madrid ☐
Ocupación	Arquitecto ☐	Carpintero ☐	Ingeniero ☐
Empresa:	IBM ☐	Phillips ☐	Seat ☐
DNI:	50746513 ☐	50744814 ☐	50744812 ☐

GRAMÁTICA

Si

Si means 'if' in Spanish. You can distinguish between *si* as a conjunction and *sí* meaning 'yes' because the former doesn't have an accent. You can use *si* at the beginning of a sentence or in the middle of a sentence.

si tengo bastante dinero, voy a viajar	*if I have enough money, I'm going to travel*
voy a viajar, si tengo bastante dinero	*I'm going to travel, if I have enough money*

EJERCICIO 2.5

Form complete sentences by linking the two halves of the sentences below with the conjunction *si*.

vamos a visitar España

van a organizar una conferencia

pueden ir mañana

creo que debemos consultar con los   si

   distribuidores

no podéis iniciar el proyecto

quiero invitarle a cenar

no consultáis con el director gerente

usted está interesado

tenemos tiempo suficiente

hay facilidades en el hotel

vamos a cambiar los precios

no quieren ir hoy

EJERCICIO 2.6

Work in pairs. Carry out the following conversation with a partner using the informal.

Partner A   **Partner B**

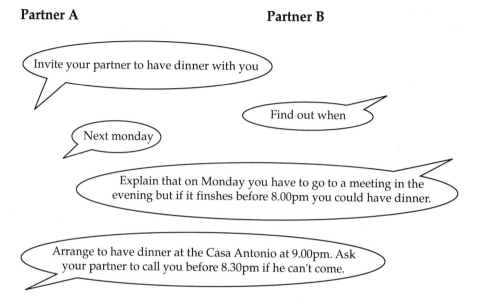

Invite your partner to have dinner with you

Find out when

Next monday

Explain that on Monday you have to go to a meeting in the evening but if it finshes before 8.00pm you could have dinner.

Arrange to have dinner at the Casa Antonio at 9.00pm. Ask your partner to call you before 8.30pm if he can't come.

DIÁLOGO 3   *Necesito comprar un traje*

David Hawkins va a una tienda para comprar un traje.

David Hawkins goes to a shop to buy a suit.

Escuche y repita:

la ropa de caballero	*menswear*
¿puedo atenderle?	*can I help you?*
de entretiempo	*for autumn/spring*
prefiero el tradicional	*I prefer the traditional one*
no me gusta en verde	*I don't like it in green*
aquí tiene	*here you are*
me gusta mucho	*I like it a lot*
¿puedo probármelo?	*can I try it on?*
¿cuánto es?	*how much is it?*
está rebajado	*it's been reduced*

Escuche el diálogo:

DAVID HAWKINS: Buenas tardes. ¿Dónde está la ropa de caballero?
INFORMACIÓN: Está en la tercera planta.
DAVID HAWKINS: Gracias.
DEPENDIENTE: ¿Puedo atenderle?
DAVID HAWKINS: Sí. Necesito comprar un traje.
DEPENDIENTE: De verano o de invierno.
DAVID HAWKINS: De entretiempo.
DEPENDIENTE: Muy bien. Tenemos dos estilos. El estilo tradicional y un estilo un poco más moderno.
DAVID HAWKINS: Prefiero el tradicional pero no me gusta en verde. ¿Tiene este traje en azul?
DEPENDIENTE: Sí, sí. Aquí tiene.
DAVID HAWKINS: Me gusta mucho. ¿Puedo probármelo?
DEPENDIENTE: Desde luego. Podemos ajustar el traje gratis si es necesario.
DAVID HAWKINS: ¿Cuánto es?
DEPENDIENTE: Normalmente son doce mil pesetas. Pero está rebajado. Son diez mil pesetas.
DAVID HAWKINS: Gracias. ¿Dónde puedo comprar flores?

NOTAS

Prefiero el tradicional. In this sentence *el* refers to *el estilo*. It is not necessary in Spanish to repeat the noun but it is translated 'I prefer the traditional one'.

EJERCICIO 3.1

Listen to two people being served in a shop. Note down what colour they prefer and the price of the items they like.

una cartera   *a briefcase*
una pluma   *a pen*

EJERCICIO 3.2

Complete the conversation on the cassette according to the written prompts.

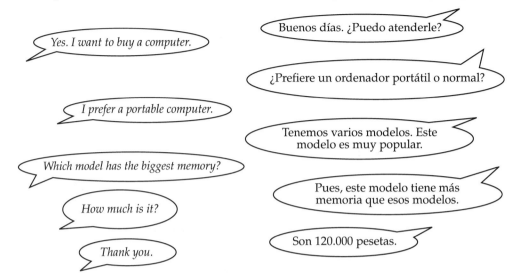

Buenos días. ¿Puedo atenderle?

Yes. I want to buy a computer.

¿Prefiere un ordenador portátil o normal?

I prefer a portable computer.

Tenemos varios modelos. Este modelo es muy popular.

Which model has the biggest memory?

Pues, este modelo tiene más memoria que esos modelos.

How much is it?

Son 120.000 pesetas.

Thank you.

GRAMÁTICA

Gustar

The verb *gustar* means 'to please' although we usually translate it as 'to like'. It is usually used with indirect object pronouns.

me	*to me*	nos	*to us*
te	*to you*	os	*to you (pl)*
le	*to him/her; to you*	les	*to them; to you (pl)*

The pronoun is placed in front of the third person singular or plural of the verb.

me gusta estudiar	*I like studying (lit. studying pleases me)*
no me gustan las reuniónes	*I don't like meetings (lit. meetings don't please me)*

Here are the most common forms of the verb:

me gusta/gustan	*I like it/them*	nos gusta/gustan	*we like it/them*
te gusta/gustan	*you like it/them*	os gusta/gustan	*you like it/them*
le gusta/gustan	*he, she, you like it/them*	les gusta/gustan	*they like it/them*

EJERCICIO 3.3

Decide whether you like or dislike the following and then form sentences using *me gusta/gustan* or *no me gusta/gustan*.

1 las entrevistas
2 viajar
3 el márketing
4 la economía
5 las reuniones
6 el fin de semana
7 trabajar
8 la política
9 el fútbol

EJERCICIO 3.4

How would you say the following in Spanish?

1 Do you like the proposition?
2 I don't like studying but I have to learn Italian.
3 We like visiting the factories.
4 Mr Romero, do you like organising conferences?
5 Does your boss like carrying out market studies?
6 I'm sorry but we don't like the idea.

EJERCICIO 3.5

Answer the questions on the cassette according to the whispered prompt.

Ejemplo   Escuche: ¿Le gusta hablar por teléfono? (*no*)
            Responda: No, no me gusta.

1 ¿Le gusta hablar por teléfono?
2 ¿Os gustan los productos?
3 ¿A ella le gusta la comida?
4 ¿Te gusta este estilo?
5 ¿A ustedes les gustan los nuevos modelos?
6 ¿A usted le gusta el trabajo?

DIÁLOGO 4   *Me gusta más aquélla*

David Hawkins y Carmen Bravo salen por la noche.

David Hawkins and Carmen Bravo go out for the evening.

Escuche y repita:

¿cuál es el plan?	*what's the plan?*
¿ésta o ésa al lado de la ventana?	*this one or that one beside the window?*
aquélla de la esquina	*that one over there in the corner*
desde 1986	*since 1986*
menos	*except*

Escuche el diálogo:

CARMEN BRAVO: Hola David. (*he gives her the flowers*) Gracias. Son preciosas. Bueno, ¿cuál es el plan?

DAVID HAWKINS: ¿Te apetece ir a un restaurante primero y después al cine?

CARMEN BRAVO: Muy bien.

(EN EL RESTAURANTE)

DAVID HAWKINS: ¿Qué mesa? ¿Ésta o ésa al lado de la ventana?

CARMEN BRAVO: Me gusta más aquélla de la esquina. ¿Te gusta España?

DAVID HAWKINS: Sí mucho. Me gusta estudiar el español también.

CARMEN BRAVO: Tu español es fenomenal.

DAVID HAWKINS: ¡Qué va! ¿Tú eres de Madrid?

CARMEN BRAVO: No, soy de Soria pero vivo en Madrid desde 1986.

DAVID HAWKINS: Y ¿tu familia?

CARMEN BRAVO: Están todos en Soria menos mi hermano pequeño que está en la Mili.

DAVID HAWKINS: Y ¿qué es la Mili? ¿Otra ciudad?

CARMEN BRAVO: ¡No, hombre! Es el Servicio Militar. En España es obligatorio.

CAMARERO: Buenos noches señores. ¿Qué desean?

EJERCICIO 4.1

Listen to the cassette and pick the correct answers from the options given.

1 ¿Qué mesa prefiere?
a esquina   b centro   c ventana

2 ¿Al Señor Pérez le gusta Madrid?
a depende   b sí   c no

3 ¿Qué quiere hacer?
a visitar otros países   b ver otras ciudades   c vivir en otras ciudades

4 ¿De dónde es su familia?
a Madrid   b Burgos   c Córdoba

5 ¿Por qué vive en Madrid?
a trabajo   b familia   c amigos

6 ¿Le gusta vivir en la ciudad?
a sí   b a veces   c no

GRAMÁTICA *Preferir* – to prefer

The verb *preferir* means 'to prefer'. It is irregular.

prefiero	*I prefer*	preferimos	*we prefer*
prefieres	*you prefer*	preferís	*you prefer*
prefiere	*he/she prefers; you prefer*	prefieren	*they prefer; you prefer*

EJERCICIO 4.2

Fill the gaps with the appropriate part of the verb *preferir*.

1 ¿Qué pluma .... usted?

2 Me gusta Alicante pero .... vivir en Madrid.

3 El director general y la jefa de ventas .... la primera idea.

4 A Juan le gusta estudiar pero yo .... leer.

5 ¿Ustedes quieren iniciar el estudio de mercado este mes o .... esperar hasta junio?

6 ¿Os gustan los viajes internacionales o .... viajar por España?

EJERCICIO 4.3

Answer the questions on the cassette according to the whispered prompts.

Ejemplo Escuche: ¿El señor Ortega prefiere viajar por la tarde? (*por la mañana*)

Responda: No. Prefiere viajar por la mañana.

1 ¿El señor Ortega prefiere viajar por la tarde?

2 ¿Ellos prefieren utilizar un asesor de publicidad?

3 ¿Prefieres llegar a la oficina temprano?

4 ¿Preferís negocionar por teléfono o en una reunión?

5 ¿Los ingleses prefieren cenar a las nueve?

6 ¿La compañía prefiere consultar con los minoristas?

GRAMÁTICA *Pronombres demonstrativos*

You have already seen some demonstrative adjectives in the grammar section of *Diálogo 1*.

aquellas fábricas son de Clarasol — *those are Clarasol's factories over there*

If it is clear from the context what you are referring to, you can omit the noun.

aquéllas son de Clarasol — *those are Clarasol's over there*

The accent indicates that it is a demonstrative pronoun.

m sing	éste	*this*	ése	*that*	aquél	*that*

f sing	ésta	*this*	ésa	*that*	aquélla	*that*
m pl	éstos	*these*	ésos	*those*	aquéllos	*those*
f pl	éstas	*these*	ésas	*those*	aquéllas	*those*

EJERCICIO 4.4

Put the parts of the sentence in English into Spanish.

1 La jefa de ventas es (*that woman over there*).

2 Me gustan (*these propositions*).

3 (*That project*) es más viable que (*this one*).

4 (*This apartment*) está en el centro pero (*that one*) es más grande.

5 ¿Qué mesa prefieren. (*This one*) o (*that one over there*)?

6 Prefiero (*that car*) a (*this one*).

EJERCICIO 4.5

Work in pairs. Compare the illustrations below using demonstrative adjectives and pronouns.

Ejemplo   Partner A: Este ordenador es más grande que ése.
Partner B: Sí pero aquél es menos complicado que éste.

REPASO

 ## REPASO 1

Listen to the conversation on the cassette and fill in the table below.

she prefers	he prefers	what they choose

REPASO 2

Read the following passage and decide whether the statements below are true or false.

la clave   *the key*   con el tiempo   *with time*

Ángel es un director de empresa. Está en Inglaterra y estudia inglés. Él cree que hablar inglés es esencial para llevar a cabo operaciones internacionales eficazmente. ¡Y tiene razón! Los mercados son más grandes y competitivos ahora y es impotante tener una proyección internacional. La clave de las negociaciones es la comunicación. Si una empresa quiere penetrar en un mercado extranjero necesita comunicar sus ideas. El inglés es muy necesario pero el español, el francés y el alemán van a ser más y más importantes con el tiempo.

                                         Verdadero   Falso

1 Ángel is from England.

2 Ángel thinks that English is important for
   conducting international business.

3 Spanish, French and German will never be
   important for business.

4 Markets are becoming smaller.

5 Markets are more competitive now.

6 The key to negotiations is communication.

REPASO 3

Rearrange the jumbled sentences.

le gusta	la jefa	el vuelo
podemos	me gusta	a las dos
una reunión	hablar con	prefiero
la idea	antes de	que sale
si	decidir	de la tarde
organizar		

REPASO 4

Pairwork. You are going out for a meal with a colleague from work for the first time. Decide what to do and find out as much as you can about each other.

REPASO 5

Roleplay. With a partner, create a dialogue using the prompts below.

Partner A   **Partner B**

Explain to your partner, a travel agent, that you want to travel to Berlin from Malaga.

Ask your partner when he/she wants to go.

Say you want to leave next Friday and return on the following Tuesday.

Explain that there are three flights from Malaga. Two in the morning and one in the afternoon.

Say you want to leave before 10.30 am

The first flight leaves at 8.00 am and arrives at 11.15 am.

Ask how much it will be.

95.000 pesetas.

Agree and say thank you.

Por último

Before leaving this chapter make sure you know:

• about making tavel arrangements	*prefiero por la mañana*
• about filling in forms	*puedes rellenar este impreso*
• how to give invitations	*te apetece ir al cine*
	quiero invitarle a una cena
• about shopping	*¿puedo probármelo?*
• about socialising	*No. Soy de Soria pero vivo en Madrid desde 1988*
• some conjunctions	*sin embargo*
• about *si*	*visito la fábrica si tengo tiempo*
• the verbs *gustar* and *preferir*	*no me gusta la idea*
	prefiero vivir en Madrid
• demonstrative adjectives and pronouns	*ese coche*
	éste es mi jefe

Congratulations! You are now ready to move on to *Hotel Europa España!*

GLOSSARY

Noun genders are given: m = masculine, f = feminine.
Note: the translations given here are those which are the most appropriate in the context of the dialogues and exercises. In many cases, the other meanings are possible.

a   to, at
  a veces   sometimes
abajo   downstairs
abierto   open
abogado   lawyer
abril   April
abrir   to open
absoluto   absolute
  en absoluto   not at all/in the least
aburrido   boring
aceite (m)   oil
aceitero (m)   oil merchant
aceituna (f)   olive
acerca   around
  acerca de   about
acomodar   to accommodate
acompañar   to accompany
actividad (f)   activity
actual   actual, present
acuerdo   agreement
  de acuerdo   I agree
adaptación (f)   adaptation
adelante   come in
además   further, also, as well as
adiós   goodbye
adjetivo (m)   adjective
administración (f)   administration
administrador   administrator
administrativo   administrative
aeróbic (m)   aerobics
aeropuerto (m)   airport
agencia (f)   agency
agenda (f)   agenda
agosto   August
agrícola   farming
agua (f)   water
ahí   there
ahora   now
ajete (m)   garlic
ajetreado   busy
ajustar   to alter
albarán (m)   delivery note
alcachofa (f)   artichoke
alcohol   alcohol
alegre   lively, happy
alemán   German
Alemania   Germany
alergia (f)   allergy
alfombra (f)   rug
alguno   something, any
allí   over there
alojamiento (m)   accommodation
alquilar   to rent
alto   high
ambos   both
América   America
americano   American
amigo   friend
ampliar   to expand, to increase
amplio   spacious
amueblado   furnished

análisis (m)   analysis
andar   to walk
antes   before
año (m)   year
apellido (m)   surname
apetecer   to appeal to
  ¿te apetece?   would you like to?
aprender   to learn
aprendiz   trainee
aprovechar   to utilise, to make the most of
aproximada   approximate
aquéllo   that one over there
aquello   that one over there
aquí   here
aquiler (m)   rent
arancel (m)   tariff, duty
archivo   archive
aritmética (f)   arithmetic
arquitecto   architect
arriba   upstairs
arreglo (m)   arrangement
artículo (m)   article
  artículos de escritorio   stationery
ascensor (m)   lift
asesor   consultant
asistir   to assist, to go, to attend
asma   asthma
asociación (f)   feminine
aspecto (m)   aspect, way
asunto (m)   matter
Atenas   Athens
atención (f)   attention
atender   to help
aumentar   to increase
aunque   although
ausencia (f)   absence
avión (f)   plane
ayer   yesterday
ayuda (f)   help
ayudante   assistant
ayudar   to help
azul   blue

bacalao (m)   cod
bailar   to dance
bajo   low
  la planta baja   the ground floor
balance (m)   balance
  balance de situación   balance sheet
banco (m)   bank
banquete (m)   banquet, dinner
baño (m)   bathroom, bath
  con baño   en suite bath
bar (m)   bar
barato   cheap
barco (m)   boat
basada   based
bastante   enough, fairly
beber   to drink
Bélgica   Belgium
beneficio (m)   profit

bien   well
bienvenido   welcome
billete (m)   ticket
blanco   white
boquerón (m)   anchovy
botella (f)   bottle
bueno   good, well
bufete (m)   firm

caballo (m)   horse
cabellero (m)   man
cada   every
cafetería (f)   cafeteria
caja (f)   box
calamar (m)   squid
cálculo (m)   calculus
calidad (f)   quality
calle   street, road
camarero   waiter
cambio (m)   change
camino (m)   road
campaña (f)   campaign
cantidad (f)   quantity
capítulo   chapter
caramelo (m)   sweet
cargo (m)   post, position
cariñoso   loving
carpintero   carpenter
carta (f)   letter
cartera (f)   briefcase
casa (f)   house, home
casado   married
caso (m)   case
catorce   fourteen
cazar   to hunt
celebrar   to celebrate, to hold
cenar   to dine, to eat in the evening
centralita   exchange
centro (m)   centre
cerca   near
cero   zero
cerrado   closed
cerrar   to close
cerveza (f)   beer
césped (m)   grass
charlar   to chat
chipirón (m)   small squid
chocolate   chocolate
chuleta (f)   chop
cielo (m)   sky
cien   hundred
cifra (f)   statistic
cinco   five
cincuenta   fifty
cine (m)   cinema
cinta (f)   belt, border
cita (f)   appointment
ciudad (f)   city
civil   civil
  estado civil   marital status
clave (f)   key

cliente (m)   *customer*
coche (m)   *car*
cocina (f)   *kitchen*
cocinar   *to cook*
coger   *to catch, to get*
cojín (m)   *cushion*
comedor (m)   *dining room*
comenzar   *to begin*
comer   *to eat, to have lunch*
comercial   *commercial*
comida (f)   *food, lunch*
como   *as, since*
cómo   *how*
cómodo   *comfortable*
compañero   *colleague*
compañía (f)   *company*
comparativo (m)   *comparative*
compartir   *to share*
compensar   *to compensate*
competencia (f)   *competition*
competir   *to compete*
competitivo   *competitive*
complicado   *complicated*
comportamiento (m)   *behaviour*
compra (f)   *purchase*
   jefe de compras   *purchasing manager*
comprar   *to buy*
comprender   *to understand*
comunicación (f)   *communication*
comunicar   *to communicate*
con   *with*
concertar   *to arrange*
conclusión (f)   *conclusion*
condición (f)   *condition*
conectar   *to connect*
conferencia (f)   *conference*
confiar   *to trust*
confirmar   *to confirm*
confuso   *confused*
conjunción (f)   *conjunction*
conjuntamente   *together*
conjunto   *together*
conocer   *to meet*
conociendo   *getting to know*
conocimiento (m)   *knowledge*
consejo (m)   *advice*
constantemente   *constantly*
constante   *constant*
consultar   *to consult*
consumir   *to consume*
contabilidad (f)   *accountancy*
contable   *accountant*
contactar   *to contact*
contacto (m)   *contact*
contestar   *to answer*
contrato (m)   *contract*
control (m)   *control*
   control de calidad   *quality control*
convencer   *to convince*
conveniente   *convenient*
cooperación (f)   *cooperation*
cordero (m)   *lamb*
correspondencia (f)   *correspondence*
corriente   *current*
corrupción (f)   *corruption*
cortar   *to cut*
corto   *short*
cosa (f)   *thing*

costes (m)   *costing section*
crear   *to create*
crecimiento (m)   *growth*
creer   *to believe*
cristal (m)   *crystal*
cuadriculado   *square*
   papel cuadriculado   *graph paper*
cuál   *which, what*
cualquier   *any*
   cualquier momento   *at any time*
cuando   *when*
cuándo   *when (interrogative)*
cuánto   *how much/many*
cuarenta   *forty*
cuarto   *fourth*
cuarto (m)   *room*
cuatro   *four*
cuenta (f)   *account*
cuerpo (m)   *body*
curso (m)   *course*

dar   *to give*
dato (m)   *fact, datum*
de   *of, from*
deber   *should*
decidir   *to decide*
décimo   *tenth*
decir   *to say*
decisión (f)   *decision*
decorado   *decorated*
dejar   *to leave*
delante   *in front of*
delgado   *thin*
demanda (f)   *demand*
dentista   *dentist*
dentro   *inside*
departamento (m)   *department*
deporte (m)   *sport, game*
depósito (m)   *deposit*
derecho (m)   *right*
desarrollar   *to develop*
describir   *to describe*
desde   *from*
   desde luego   *of course*
desear   *to want, to desire, to wish for*
despacho (m)   *office*
después   *after, afterwards, then*
detalladamente   *in more detail*
detalle (m)   *detail*
detrás   *behind*
devolver   *to return something*
día   *day*
diálogo (m)   *dialogue*
diciembre   *December*
diecinueve   *nineteen*
dieciocho   *eighteen*
dieciséis   *sixteen*
diecisiete   *seventeen*
diez   *ten*
diferente   *different*
difícil   *difficult*
dígame   *speak to me*
Dinamarca   *Denmark*
dinero (m)   *money*
dirección (f)   *management, address*
   dirección del destinatario   *addressee*
director   *director, manager*
   director gerente   *managing director*

discutir   *to discuss*
distribuidor   *distributor*
distribuir   *to distribute*
doce   *twelve*
domicilio (m)   *address*
domingo   *Sunday*
dónde   *where*
dorado   *gold*
dormir   *to sleep*
dos   *two*
ducha (f)   *shower*
duda (f)   *doubt*
durante   *during, for*

echar   *to put*
economía (f)   *the economy, economics*
edad (f)   *age*
edificio (m)   *building*
Edimburgo   *Edinburgh*
eficaz   *effective*
eficazmente   *effectively*
eficiente   *efficient*
ejemplo (m)   *example*
el   *the*
él   *he*
elaboración (f)   *manufacture*
elaborar   *to work on*
elección (f)   *election*
electrónico   *electronic*
elegir   *to choose*
eliminar   *to eliminate, to get rid of*
ella   *she*
ellos   *they*
embargo
   sin embargo   *however*
empleado   *employee*
empresa (f)   *firm, business*
empresario   *businessman*
en   *in, on*
encantado   *delighted, pleased to meet you*
encargar   *to order*
enchufe (m)   *plug*
enero   *January*
enfermero   *nurse*
enorme   *enormous*
ensalada (f)   *salad*
entender   *to understand*
entonces   *then, so*
entre   *between*
entremés (m)   *hors d'œuvres*
entretiempo (m)   *autumn*
entrevista (f)   *interview*
época (f)   *time*
equipo (m)   *equipment, team*
equivocado   *mistaken, wrong*
Escocia   *Scotland*
escritorio (m)   *desk*
escuche   *listen (formal)*
escuela (f)   *school*
ese   *that*
ése   *that one*
esencial   *essential*
España   *Spain*
español   *Spanish*
espárrago (m)   *asparagus*
especialmente   *especially*
esperar   *to wait*
esquí (m)   *skiing*

estable   *stable*
establecer   *to establish*
estado (m)   *state*
   Estados Unidos   *United States*
estar   *to be*
este   *this*
éste   *this one*
este (m)   *east*
estilo (m)   *style*
estrategia (f)   *strategy*
estudiante   *student*
estudiar   *to study*
estudio (m)   *study, research*
estupendamente   *brilliantly*
estupendo   *fantastic*
etapa (f)   *stage*
Europa   *Europe*
evidente   *evident*
excepción (f)   *exception*
existir   *to exist*
éxito (m)   *success*
expandir   *to expand*
experimentado   *experimental*
explicar   *to explain*
explorar   *to explore*
exportación (f)   *exportation, export*
exportar   *to export*
extranjero (m)   *abroad, foreign, foreigner*

fábrica (f)   *factory*
fabricar   *to make, to manufacture*
fácil   *easy*
facilidad (m)   *facility*
facilitar   *to enable*
factura (f)   *invoice*
famoso   *famous*
fascinante   *fascinating*
favor (m)   *favour*
  por favor   *please*
favorito   *favourite*
fax (m)   *fax, a fax machine*
febrero   *February*
fecha (f)   *date*
fenomenal   *incredible*
fiable   *reliable*
fin   *end*
fina   *delicate*
finalmente   *finally*
financiera (f)   *financing section*
financiero   *financial*
finanza   *finance*
firma   *signature*
firmar   *to sign*
fiscal   *fiscal*
flan (m)   *custard desert*
flete (m)   *freight*
flor (m)   *flower*
fomentar   *to encourage*
fondo   *end*
forma (f)   *form*
  forma de pago   *method of payment*
formación (f)   *training section*
formulario (m)   *form*
fotocopiadora (f)   *photocopier*
francamente   *frankly*
francés   *French*
Francia   *France*
frecuentemente   *frequently*

frente   *opposite*
frito   *fried*
fruta (f)   *fruit*
función (f)   *function*
funcionamiento   *operating*
funcionar   *to function, to work*
funcionario   *civil servant*
fútbol (m)   *football*

galés   *Welsh*
gama (f)   *range*
garantía (f)   *security*
gas   *gas, fizz*
gasolina (f)   *petrol*
gastar   *to spend*
gasto (m)   *cost*
gato (m)   *cat*
gazpacho (m)   *cold vegetable soup*
general   *general*
generalizado   *escalating*
género   *gender*
gente (f)   *people*
geografía (f)   *geography*
geometría (f)   *geometry*
gerente   *manager*
gestoría (f)   *licensing agency*
girar   *to turn*
gota (f)   *drop*
gracias   *thanks, thank you*
gramática (f)   *grammar*
Gran Bretaña   *Great Britain*
grande   *big*
gratis   *free*
grave   *serious*
Grecia   *Greece*
griego   *Greek*
guerra (f)   *war*
guiar   *to guide*
guineo   *Guinea*
gustar   *to like*
gusto (m)   *taste, like*

habitación (f)   *bedroom*
hablar   *to speak, to talk*
hacer   *to make, to do, to carry out*
hambre (m)   *hunger*
hasta   *until*
  hasta luego   *see you later*
hay   *there is, there are, is there, are there*
helado (m)   *ice-cream*
hermano   *brother*
hijo   *son, child*
hola   *hello, hi*
Holanda   *Holland*
holandés   *Dutch*
hotel (m)   *hotel*
hoy   *today*
humanidad (f)   *humanity*
humedad (f)   *humidity*

idea (f)   *idea*
ideal (f)   *ideal*
idioma (m)   *language*
impaciente   *impatient*
importador   *importer*
importante   *important*
importar   *to import*
importar   *to be important, to matter*

imposible   *impossible*
impreso (m)   *form*
impuesto (m)   *tax*
incompetente   *incompetent, an incompetent person*
indicar   *to indicate*
industria (f)   *industry*
industrial   *industrial*
inflación (f)   *inflation*
influir   *to influence*
información (f)   *information*
ingeniero   *engineer*
Inglaterra   *England*
inglés   *English*
inicial   *initial*
iniciar   *to start*
inmediatamente   *immediately*
institutción (f)   *institution*
inteligente   *intelligent*
intensificar   *to intensify*
intensivo   *intensive*
intentar   *to try*
intercambiar   *to exchange*
interesado   *interested*
interesado (m)   *arrangement, person concerned*
interesante   *interesting*
internacional   *international*
intervenir   *to supervise, to be involved*
introducir   *to introduce*
invierno (m)   *winter*
invitar   *to invite*
ir   *to go*
Irlanda   *Ireland*
irlandés   *Irish*
israelí   *Israeli*
Italia   *Italy*
italiano   *Italian*
izquierda (f)   *left*

jamón   *ham*
japonés   *Japanese*
jefe   *boss, manager*
jornada (f)   *working day*
judía (f)   *bean*
jueves   *Thursday*
jugar   *to play*
julio   *July*
junio   *June*
junto   *together*
  junto a   *next to*

la   *the*
laboral   *working, industrial*
lado   *side*
  al lado de   *beside*
lavadora (f)   *washing machine*
le   *him/her, you (formal)*
leer   *to read*
lejos   *far*
lentamente   *slowly*
les   *them, you (formal)*
libre   *free*
licencia (f)   *licence*
licenciatura (f)   *degree*
líder   *leader, boss*
línea (f)   *line*
lira (f)   *lira*

llamado (m)   *telephone call*
llamar   *to call*
llegada   *arrival*
llegar   *to arrive*
llevar   *to carry*
    llevar a cabo   *to carry out*
lo   *it*
    lo siento   *I'm sorry*
localizar   *to locate*
Londres   *London*
luego   *later*
lugar (m)   *place*
lunes   *Monday*
Luxemburgo   *Luxembourg*

madre (f)   *mother*
mahonesa (f)   *mayonnaise*
malo   *bad*
mantener   *to maintain*
mañana   *morning, tomorrow*
máquina   *machine*
    máquina de escribir   *typewriter*
maratón (m)   *marathon*
marca (f)   *brand*
marcar   *to dial*
marco (m)   *mark (currency)*
márketing (m)   *marketing*
marrón   *brown*
martes   *Tuesday*
marzo   *March*
más   *more*
matemáticas (f)   *mathematics*
materia (f)   *subject*
máximo (m)   *maximum*
mayo   *May*
mayor   *major, biggest*
mayoría (f)   *majority*
mayorista   *wholesaler*
me   *me*
mecánico   *mechanic*
médico   *doctor*
mejor   *better, best*
mejorar   *to improve*
membrete (m)   *logo*
menos   *less, except*
mente (m)   *mind*
menú (m)   *menu*
mercado (m)   *market*
merluza (f)   *hake*
mes (m)   *month*
mesa (f)   *table*
metro (m)   *metro, tube, metre*
mi   *my*
miércoles   *Wednesday*
mil   *thousand*
militar   *military*
millón (m)   *million*
mineral   *mineral*
minorista (m)   *retailer*
mío   *mine*
    muy señor mío   *dear sir*
mira   *look (informal)*
mire   *look (formal)*
moda (f)   *fashion*
modelo (m)   *model, type*
moderno   *modern*
modificar   *to modify, change*
momento (m)   *moment*

moneda (f)   *currency*
mostrar   *to show*
muchísima   *an awful lot*
mucho   *much, a lot of*
mundial   *world*
mundo (m)   *world*
muy   *very*

nacimiento (m)   *birth*
nacional   *national*
nacionalidad (f)   *nationality*
nada   *nothing*
    de nada   *not at all*
nariz (m)   *nose*
Navidad (f)   *Christmas*
navideño   *of Christmas*
necesario   *necessary*
necesitar   *to need*
negativo (m)   *negative*
negociación (f)   *negotiation*
negociar   *to negotiate*
negocio (m)   *business deal, transaction*
nivel (m)   *level*
no   *no*
noche (f)   *night*
nombre   *first name, noun*
nómina (f)   *payroll*
normalmente   *normally*
norte (m)   *north*
nos   *us*
nosotros   *we*
noveno   *ninth*
noventa   *ninety*
noviembre   *November*
nuestro   *our*
Nueva York   *New York*
nueve   *nine*
nuevo   *new*
número (m)   *number*

obligatorio   *compulsory*
obstante
    no obstante   *nevertheless*
obtener   *to get, to obtain*
ochenta   *eighty*
ocho   *eight*
octavo   *eighth*
octubre   *October*
ocupación (f)   *occupation*
ocupado   *busy*
ocupar   *to occupy, to do*
ocurrir   *to occur*
oeste (m)   *west*
oficina (f)   *office*
ofrecer   *to offer*
once   *eleven*
operación (f)   *operation*
opinión (f)   *opinion*
oportunidad (f)   *opportunity*
oposición (f)   *opposition*
ordenador (m)   *computer*
organizar   *to organise*
os   *you*
otoño (m)   *autumn*
otro   *other*
    otra vez   *again*

padre (m)   *father*

paella (f)   *Spanish rice dish*
pagar   *to pay*
país   *country*
País de Gales   *Wales*
papel (m)   *paper*
    papel de carta   *writing paper*
para   *for*
pareja (f)   *couple*
paro (m)   *unemployment*
parte   *part*
pasaporte (m)   *passport*
pasar   *to spend, to pass*
pasillo (m)   *corridor*
patata (f)   *potato*
pedido (m)   *order*
pedir   *to ask*
película (f)   *film*
penetrar   *to penetrate*
pensar   *to think*
pequeño   *small*
perdón (m)   *pardon, I'm sorry*
perfecto   *perfect, fine*
periódico (m)   *newspaper*
periodista   *journalist*
período (m)   *period*
permanecer   *to remain, to stay*
pero   *but*
persona (f)   *person*
personal (m)   *personnel*
personalidad (f)   *personality*
peseta (f)   *peseta*
piloto   *pilot*
pimiento (m)   *pepper*
    pimientos de padrón   *spicy peppers*
pisto (m)   *casserole*
plancha (f)   *grilled*
planear   *to plan*
planta (f)   *floor*
plazo (m)   *term*
    corto plazo   *short term*
pluma (f)   *pen*
poco   *little*
poder   *to be able to*
poderoso   *powerful*
policía (f)   *policeman/police*
política (f)   *politics*
político   *political*
político   *politician*
poner   *to put*
popular   *popular*
por   *for*
    por favor   *please*
    por qué   *why*
porque   *because*
portáil   *portable*
portugués   *Portuguese*
posibilidad (f)   *possibility*
postre (m)   *dessert*
potencial (m)   *potential*
práctico   *practical*
precio (m)   *price*
preciosa   *gorgeous*
preferir   *to prefer*
preguntar   *to ask*
preocupación (f)   *worry*
preparar   *to prepare*
preposición (f)   *preposition*
presentación (f)   *presentation*

presentar   *to present, to introduce*
préstamo (m)   *loan*
prestar   *to pay (attention)*
prestigio   *prestige*
primavera (f)   *spring*
primero   *first, first of all*
 de primero   *first course*
principal   *main*
principio (m)   *beginning*
prioridad (f)   *priority*
prision (f)   *prison*
probar   *to try*
problema (m)   *problem*
problemático   *problematic*
proceder   *to proceed, to go ahead with*
proceso (m)   *process*
producto (m)   *product*
profesión (f)   *profession*
profesor   *teacher*
profundo   *deep, detailed*
promoción (f)   *promotion*
promocionar   *to promote*
promover   *to promote*
pronunciación (f)   *pronunciation*
propósito (m)   *purpose, objective*
próspero   *prosperous*
proveer   *to provide*
provincia (f)   *province*
proximo   *next*
proyección (f)   *projection, influence*
proyecto (m)   *project*
publicidad (f)   *publicity*
público   *public*
puerta (f)   *door*
pues   *well*
pulsar   *to push*
punto (m)   *point*
 a punto de   *on the point of that*

que   *that, than, who, which*
qué   *what*
 qué interesante   *how interesting*
 qué tal   *how are you, how is/was*
 qué va   *not at all*
 por qué   *why*
quedar   *to remain*
 quedamos   *shall we*
querer   *to want*
quién   *who*
quince   *fifteen*
quinto   *fifth*

rabo (m)   *tail*
rape (m)   *a flat fish*
rapidamente   *quickly*
rápido   *fast*
rato (m)   *time*
 ratos libres   *free time*
razón (f)   *reason*
realizar   *to carry out*
realmente   *really*
rebajado   *reduced*
recado (m)   *message*
recepcionista   *receptionist*
recibir   *to receive*
recoger   *to collect*
reducción (f)   *reduction*
regional   *regional*

relación (f)   *relation, relationship*
 relaciones publicas   *public relations*
relajado   *relaxed*
relativamente   *relatively*
rellenar   *to fill in*
repasar   *to go over, to revise*
repetino   *sudden, unexpected*
repetir   *to repeat*
representante (m)   *representative*
reservar   *to reserve*
resolver   *to solve*
responda   *answer (formal)*
restaurante (m)   *restaurant*
resultado (m)   *result*
resumir   *to summarise*
reunión (f)   *meeting*
reunir   *to go over, to reunite*
revisar   *to revise, to check*
revista (f)   *magazine*
revuelto   *scrambled*
rey (m)   *king*
rico   *rich*
romántico   *romantic*
ropa (f)   *clothes*
rubio   *fair*

sábado   *Saturday*
saber   *to know*
sala (f)   *room*
salario (m)   *salary*
salir   *to leave, to go out*
salón (m)   *living room*
secadora (f)   *tumble-drier*
sección (f)   *section*
secretaria   *secretary*
secretaría (f)   *secretariat*
sector (m)   *sector*
seguir   *to go straight on, to continue*
según   *as*
segundo   *second*
 de segundo   *second course*
seguridad (f)   *security*
 la seguridad social   *the social security*
seguro (m)   *sure*
 seguros sociales   *social security*
seis   *six*
selección (f)   *interviewing, recruitment*
seleccionar   *to choose*
semana (f)   *week*
sentar   *to sit*
señor   *Mr*
señora   *Mrs*
señorita   *Miss*
septiembre   *September*
séptimo   *seventh*
ser   *to be*
serio   *serious*
servicio (m)   *service, toilet*
 servicio militar   *military service*
sesenta   *sixty*
setenta   *seventy*
Sevilla   *Seville*
sexo (m)   *sex*
sexto   *sixth*
si   *if*
sí   *yes*
siempre   *always*
 cómo siempre   *same as always*

siento
 lo siento   *I'm sorry*
siete   *seven*
silla (f)   *chair*
simple   *simple*
simplemente   *simply*
sin   *without*
sinceramente   *sincerely*
sindical   *trade union*
situación (f)   *situation*
soberanía (f)   *sovereignty*
sobre   *on, about, around*
sobre (m)   *envelope*
soldado   *soldier*
solicitar   *to apply for*
sólo   *only*
solomillo (m)   *sirloin*
soltero   *single*
sopa (f)   *soup*
su   *his/her/their/your (formal)*
sucursal (m)   *branch*
Sudamérica   *South America*
sudamericano   *South American*
suerte (m)   *luck*
 ¡suerte!   *good luck*
suficiente   *sufficient*
supermercado (m)   *supermarket*
suplido   *supplier*
suponer   *to suppose, to entail*
sur (m)   *south*
surf (m)   *surfing*
suroeste (m)   *south-west*
suspender   *to cancel*

tal
 qué tal   *how are you*
tallado   *engraved*
también   *also*
tan   *as*
tanto   *so much*
 estar al tanto   *to be up to date*
tarde   *late*
 esta tarde   *afternoon*
te   *you*
técnica (f)   *skill*
tecnología (f)   *technology*
telefonear   *to telephone*
teléfono (m)   *telephone*
televisión (f)   *television*
temprano   *early*
tener   *to have*
tenis (m)   *tennis*
tercero   *third*
terminar   *to finish, to end*
tiempo   *time*
tienda (f)   *shop*
tinta (f)   *ink*
tinto   *red*
tipo   *type*
todo   *all, everything*
tomar   *to take*
tomate (m)   *tomato*
toro (m)   *bull*
tortilla (f)   *omelette*
trabajador   *hard-working*
trabajador   *worker*
trabajar   *to work*
trabajo (m)   *work*

tradicional   *traditional*
traje (m)   *suit*
tranquilo   *quiet*
transportar   *to transport*
tranvía (m)   *tram*
tratar   *to deal with*
  a qué se trata   *what's it about*
trece   *thirteen*
treinta   *thirty*
tren (m)   *train*
tres   *three*
tú   *you (informal)*
tu   *your*
tutearse   *to use the informal with*

un/a   *a*
unión (f)   *union*
universidad (f)   *university*
uno   *one*
usted   *you (formal)*
utilizar   *use*

vacaciones (f)   *holiday*

de vacaciones   *on holiday*
vale   *OK*
variado (m)   *selection*
varios   *some, several*
vegetal   *vegetable*
veinte   *twenty*
veinticinco   *twenty-five*
veinticuatro   *twenty-four*
veintidós   *twenty-two*
veintinueve   *twenty-nine*
veintiocho   *twenty-eight*
veintiséis   *twenty-six*
veintisiete   *twenty-seven*
veintitrés   *twenty-three*
veintiuno   *twenty-one*
vendedor   *shop assistant*
vender   *to sell*
venir   *to come*
venta (f)   *sale*
  director de ventas   *sales director/manager*
ventaja (f)   *advantage*
ver   *to see*
verano (m)   *summer*

verbo (m)   *verb*
verdad   *true, isn't that right*
verdaderamente   *truly*
vez (f)   *once*
viabilidad (f)   *viability, feasibility*
viajar   *to travel*
viaje (m)   *journey*
viernes   *Friday*
vino (m)   *wine*
visado (m)   *visa*
visitar   *to visit*
vista (f)   *view*
vivir   *to live*
volver   *to return*
vosotros   *you (plural informal)*
vuelo (m)   *flight*
vuestro   *your*

y   *and*
ya   *now, already*
yo   *I*

zapato (m)   *shoe*
zurdo (m)   *left-handed*